经全国中小学教材审定委员会2003年初审通过

义务教育课程标准实验教科书

KE XUE
科 学

六年级　上册

教育科学出版社
·北京·

主　　编　郁　波
本册负责人　常瑞祥
原 作 者　陈维礼　常瑞祥　姜向阳　张和平
修订作者　常瑞祥　陈维礼　尚秀芬
顾　　问　位梦华　潘厚任

责任编辑　王　薇　殷梦昆　李　伟　马明辉　王维臻
责任校对　刘永玲
责任印制　叶小峰

照片拍摄　李燕昌　陈洪志
美术总设计　曹友廉
美术编辑　侯　威　郝晓红
美术顾问　唐苏申
封面设计　曹友廉
版面制作　北京鑫华印前科技有限公司

经全国中小学教材审定委员会2003年初审通过
义务教育课程标准实验教科书
科　学
六年级　上册
教育科学出版社　出版发行
（北京·朝阳区安慧北里安园甲9号）
邮编：100101
教材编写组、编辑部电话：010-64989521，64989523
传真：010-64989519　市场部电话：010-64989009
网址：http：//www.esph.com.cn
电子邮箱：science@esph.com.cn
各地新华书店经销
兰州新华印刷厂印装
开本：184毫米×260毫米　16开　印张：6
2004年5月第1版　　2018年5月第15次印刷

ISBN　978-7-5041-2794-5
定价：10.90元

目录

工具和机械/形状与结构/能量/生物的多样性

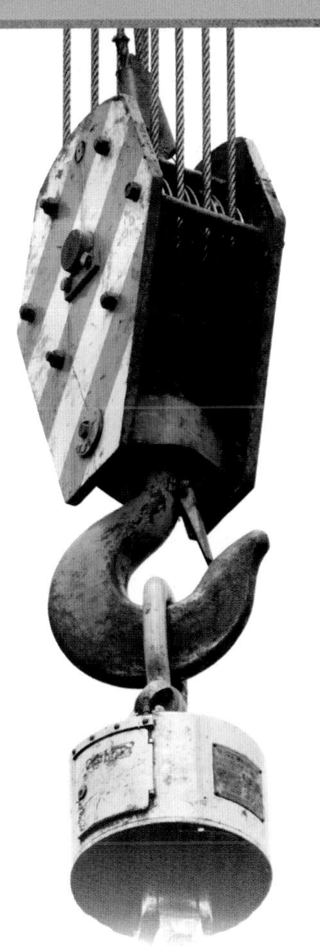

工具和机械

1. 使用工具 2
2. 杠杆的科学 4
3. 杠杆类工具的研究 7
4. 轮轴的秘密 10
5. 定滑轮和动滑轮 12
6. 滑轮组 14
7. 斜面的作用 16
8. 自行车上的简单机械 18

形状与结构

1. 抵抗弯曲 26
2. 形状与抗弯曲能力 29
3. 拱形的力量 31
4. 找拱形 33
5. 做框架 36
6. 建高塔 38
7. 桥的形状和结构 40
8. 用纸造一座“桥” 43

Contents

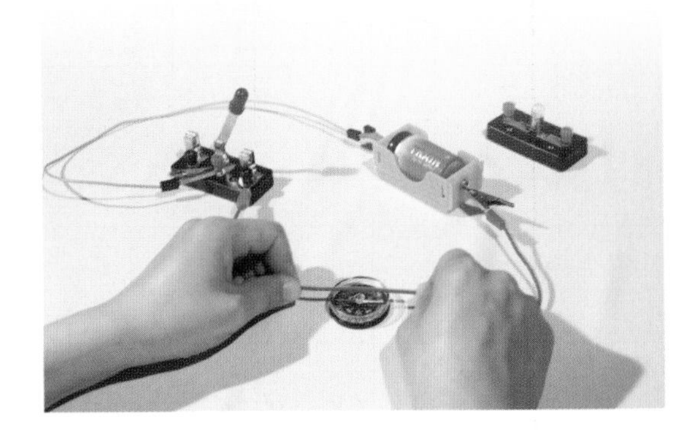

能量

1．电和磁　48

2．电磁铁　50

3．电磁铁的磁力（一）　52

4．电磁铁的磁力（二）　55

5．神奇的小电动机　58

6．电能和能量　60

7．电能从哪里来　63

8．能量与太阳　65

生物的多样性

1．校园生物大搜索　70

2．校园生物分布图　72

3．多种多样的植物　75

4．种类繁多的动物　77

5．相貌各异的我们　79

6．原来是相互关联的　81

7．谁选择了它们　84

8．生物多样性的意义　87

工具和机械

很早以前，人类就开始使用工具和机械了。使用工具和机械，就如同增强了自己的力量，延长了人类的臂膀。随着工具和机械的进步，人类的本领越来越大，完成了许多宏伟的工程。工具和机械是神奇的，它是人类的伟大创造，是人类智慧的结晶。

再复杂的机械也是由简单的机械组成的。各式各样的工具就是简单机械，我们都使用过工具，我们对简单机械并不陌生。

常见的简单机械有哪些？它们有什么作用？我们为了省力或者为了工作方便，应当怎样选用不同的简单机械？

让我们从使用工具开始研究吧。

1 使用工具

在生活生产中，人们做事情常常用工具来帮忙。我们认识哪些工具？我们使用过工具吗？

我们用过什么工具

说一说我们自己曾经使用过哪些工具，用它们来做过什么事情，是怎样使用这些工具的。

把我们使用工具的“经验”填写在记录表中，统计一下同学们共用过多少种工具。

我们使用过的工具

工具名称	可以做哪些事情	工具名称	可以做哪些事情

选用什么工具好

●试一试，分别选择什么工具把铁钉、螺丝钉和图钉从木头里取出来。比较一下，用什么工具最省力、方便。

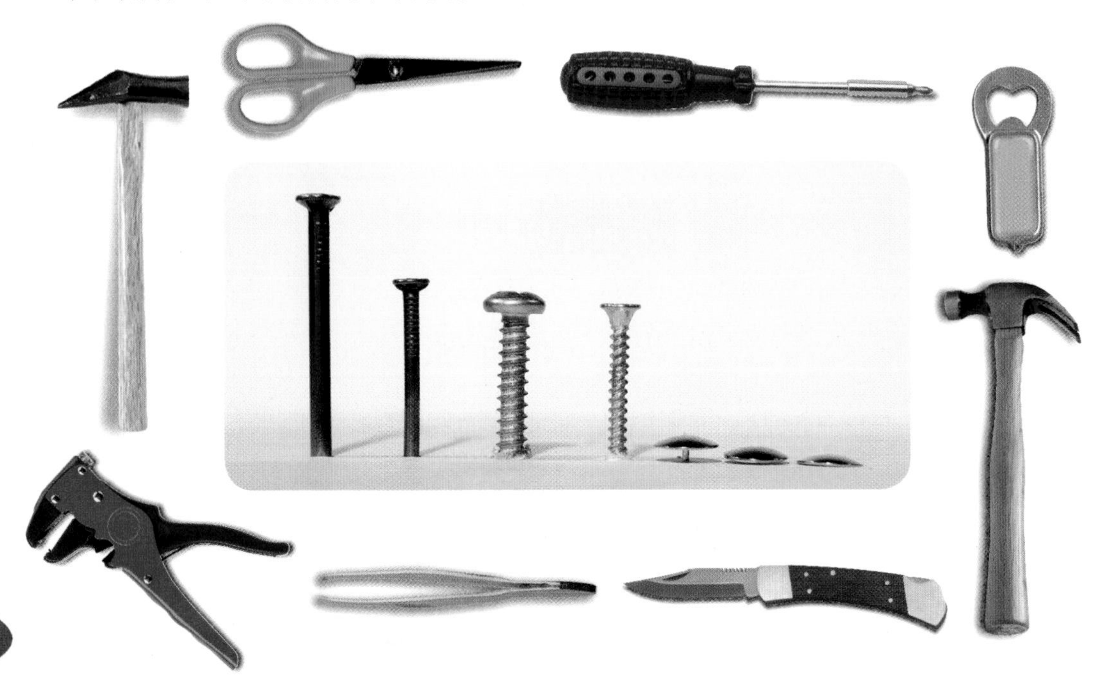

先观察一下，铁钉和螺丝钉有什么不同。
我发现有几样工具都可以拔出钉子。

提示

使用工具要十分小心，不要伤着同学和自己！

选出做这三件事各自最适用的工具，说说选择的理由。

● 应该选择什么工具来完成下面的工作？说说选择的理由。

有一些很费力、很难做的事情，如果我们使用了工具就可以省力、方便地完成了。不同的工具有不同的用途，不同的工具有不同的科学道理。

> 机械是能使我们省力或方便的装置。螺丝刀、钉锤、剪子这些机械构造很简单，又叫简单机械。

对于简单机械，我们有什么问题？

2 杠杆的科学

在一根棍子下面放一个支撑的物体，就可以用它撬起重物了。人们把这样的棍子叫撬棍。

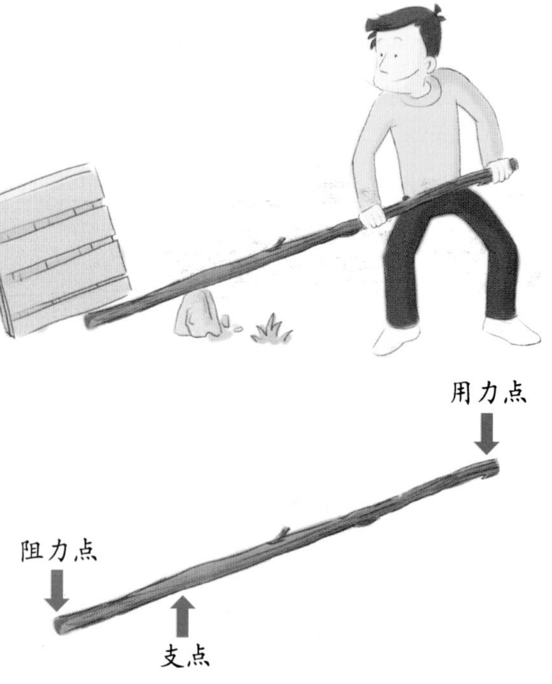

认识杠杆

像撬棍这样的简单机械叫做杠杆。

杠杆上有三个重要的位置：支撑着杠杆，使杠杆能围绕着转动的位置叫支点；在杠杆上用力的位置叫用力点；杠杆克服阻力的位置叫阻力点。

用力点

阻力点

支点

压水井的压杆、跷跷板也是杠杆，它们的三个点在什么位置？

下面的工具是不是杠杆呢？说说我们的理由。

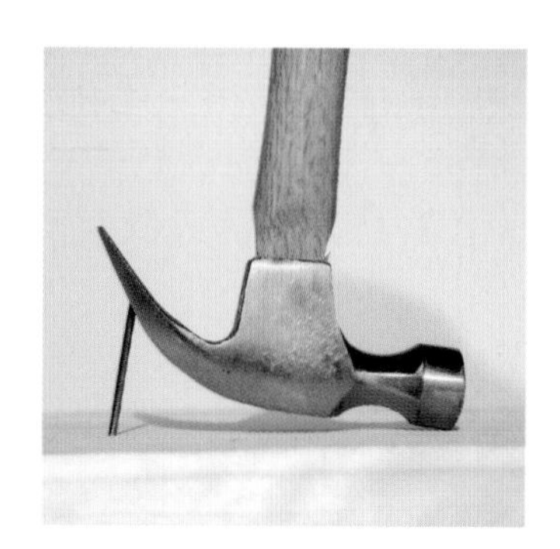

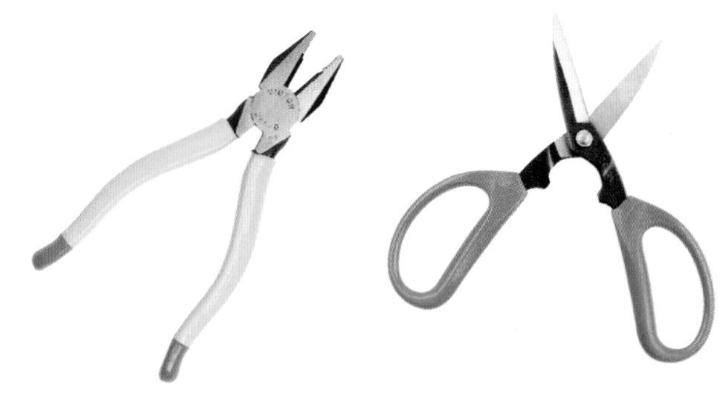

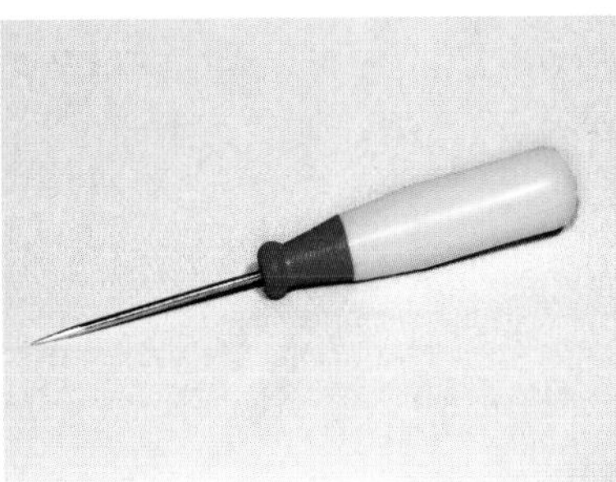

研究杠杆的秘密

用撬棍撬起重物一定能省力吗？怎样做才能省力？

我们可以用杠杆尺来研究这个问题。杠杆尺上有支点，左右两边都有到支点距离的标记，是我们研究杠杆作用的好工具。

我们把杠杆尺当“撬棍”，把挂在杠杆尺左边的钩码看作是要被撬起的重物，把挂在杠杆尺右边的钩码看作是我们用的力。

研究杠杆省力问题，我们准备收集什么数据？怎样收集数据？

用杠杆尺做实验，怎样就是省力？怎样就是费力呢？
我们可以确定一个点为用力点或阻力点，这样我们更容易发现它的秘密。
我认为要多收集一些数据，才容易看出规律来。

杠杆尺的记录表

左边（阻力点）情况		右边（用力点）情况		用力情况
钩码数（个）	阻力点到支点的距离（格）	钩码数（个）	用力点到支点的距离（格）	1. 省力；2. 费力；3. 不省力也不费力

统计记录表中的数据。

省力的情况有______种；费力的情况有______种；不省力也不费力的情况有______种。

- 分析实验记录表中的数据，我们发现什么规律？

  1. 在什么情况下，杠杆省力？

  ____

  2. 在什么情况下，杠杆费力？

  ____

  3. 在什么情况下，杠杆不省力也不费力？

  ____

- 我们是按怎样的方法步骤收集数据的？哪种方法更合理？

3 杠杆类工具的研究

我们使用的很多工具都属于杠杆类工具，它们是怎样工作的呢？

杠杆类工具的比较

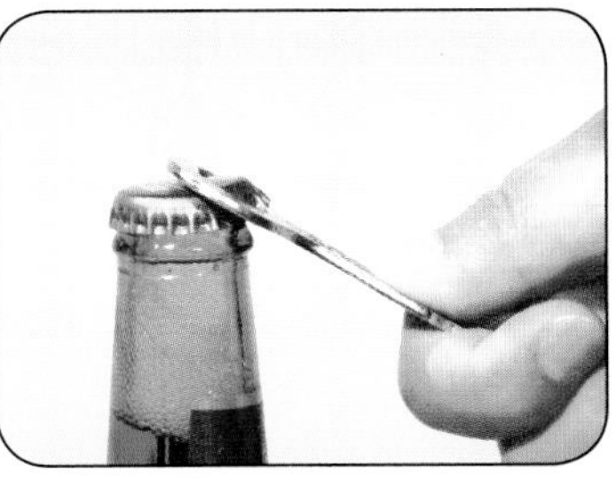

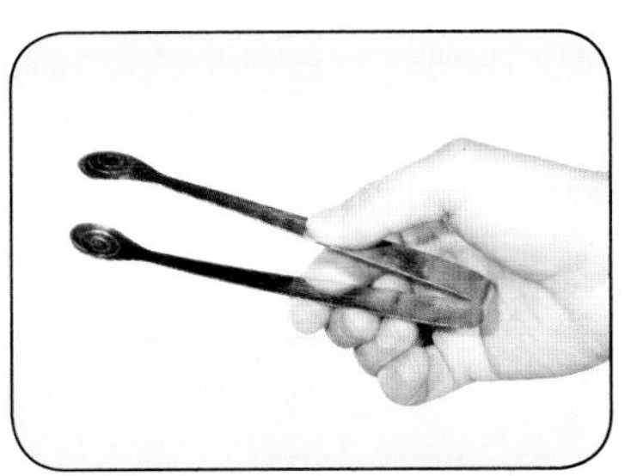

用铁片撬开铁桶盖子；用开瓶器打开一瓶汽水；用夹子去夹住东西。比较一下，这三个杠杆类工具有什么相同和不同的地方。

我们从哪些方面来比较？

比较一下哪个省力，哪个不省力。

应该先找出它们的支点、用力点和阻力点。再看看它们有什么不同。

● 分别找出铁片、开瓶器、夹子的支点、用力点和阻力点。它们的三点位置有什么不同？

开瓶器的支点在哪里呢？

看看瓶盖上的凹痕就知道支点在哪里了。

手向下压的位置（　　）

靠在铁桶边缘的位置（　　）

插入盖子底下的位置（　　）

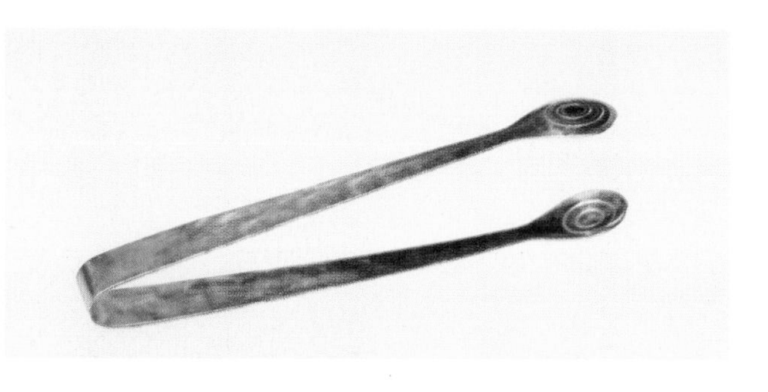

这三个杠杆类工具，哪个省力，哪个费力？

- 下面的杠杆类工具与上面的杠杆类工具比较，哪个与哪个更相似？

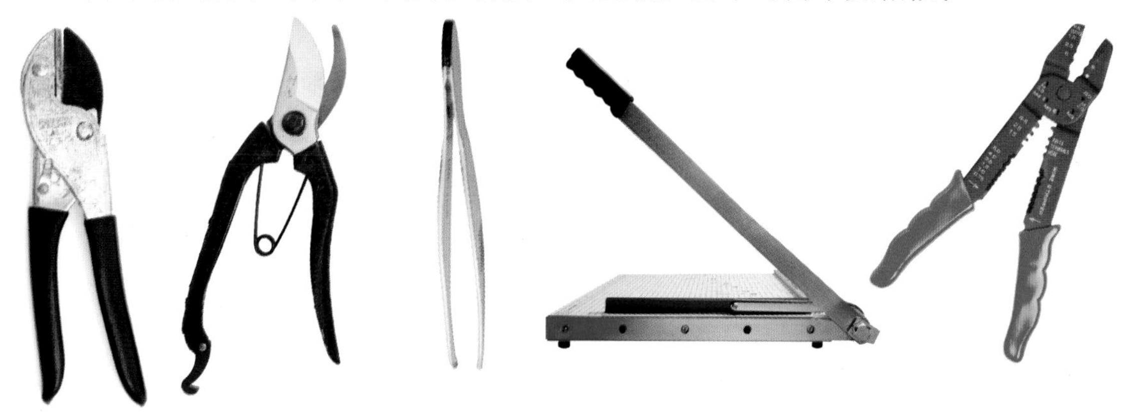

分析常用的杠杆类工具，按是不是省力的标准给它们分分类。

杠杆类别记录表

	杠杆类工具的名称
省力的杠杆	
费力的杠杆	
不省力不费力的杠杆	

为什么有些杠杆类工具要设计成费力的呢？

小杆秤的研究

我国人民很早就开始使用杆秤了。观察杆秤的构造，说说杆秤的使用方法。

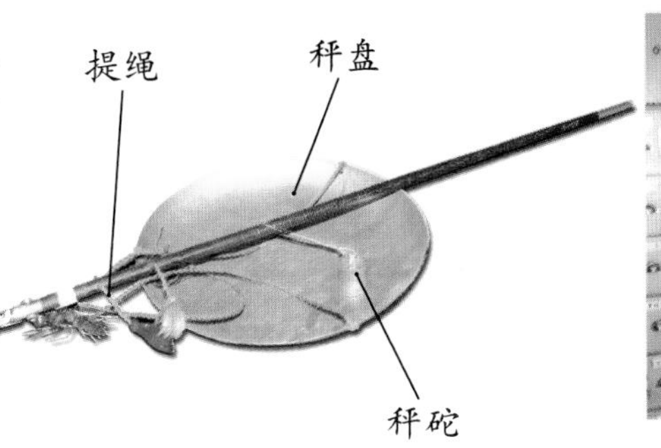

杆秤也是杠杆类工具。让我们制作一个小杆秤，研究它是怎样称量出物体重量的。

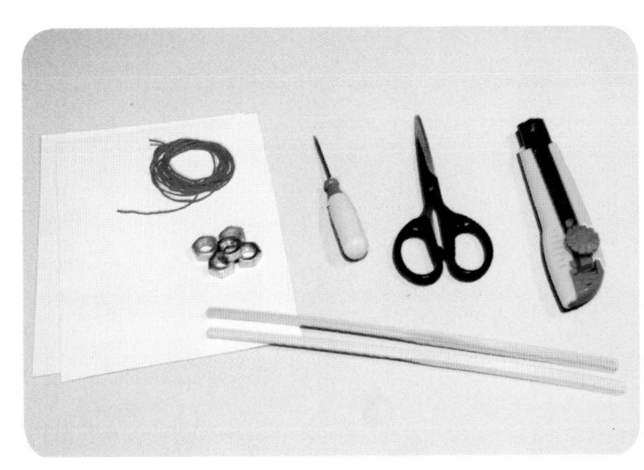

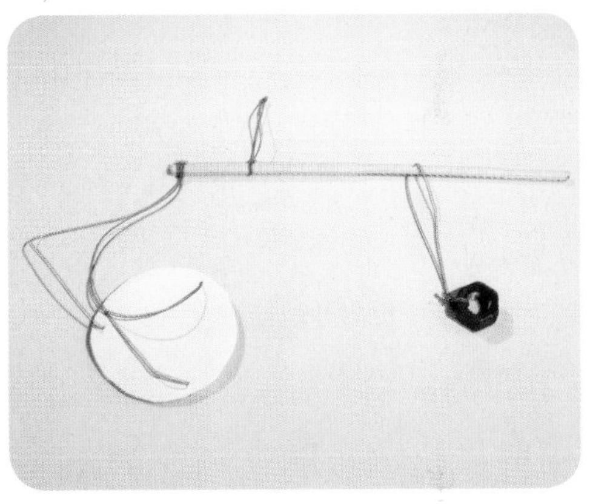

作为杠杆类工具来研究，杆秤的支点、阻力点、用力点在什么位置？
我们能用挂钩码的方法，在秤杆上画出重量刻度吗？

现在我们能解释“秤砣虽小，能压千斤”的道理了吗？

提绳的位置对秤的最大称重有什么影响？

4 轮轴的秘密

我们拧水龙头上的轮子就能带动轴一齐转动，将水龙头打开。

像水龙头这样，轮子和轴固定在一起转动的机械，叫做轮轴。

轮轴有什么作用

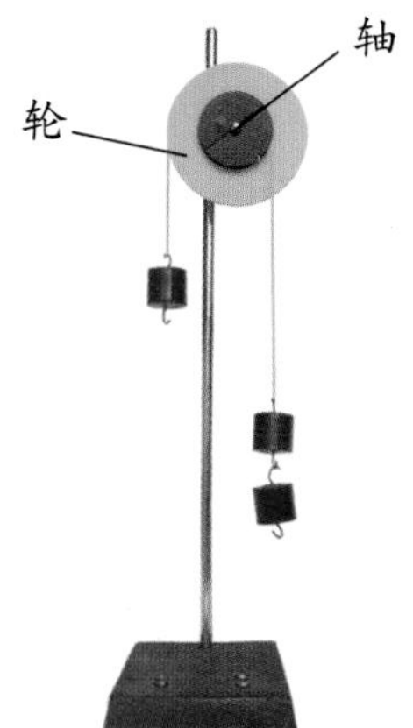

如果取下水龙头上的轮子，直接去拧轴，还容易拧开水龙头吗？推想轮轴有什么作用。

我们可以用一个轮轴实验装置来研究轮轴的作用。把一定数量的钩码挂在轴上，看成要克服的阻力，在轮上挂钩码，看成是我们用力的大小。试一试，在轮上挂几个钩码能把轴上的钩码提起来。改变轴上钩码的数量再做几次实验。

我们发现了什么？

轮轴作用的实验记录表

轴上钩码的个数	轮上钩码的个数	我们的发现

用大螺丝刀和同学一起玩一个比力气大小的游戏，游戏时手不要握螺丝刀刀尖处。

我们一定会发现取胜的秘密。

轮的大小对轮轴作用的影响

把上面轮轴装置中的轮换成一个更大的轮，在这个轮轴上再做上面的实验。记录下每次所用的力的大小。

轮大了，提起重物会更省力吗？
轮大了，提起重物拉动绳子的距离更长了。

轮轴的轮的大小对轮轴作用的影响实验记录表

轴上钩码的个数	更大轮上钩码的个数	我们的发现

把上面两种轮轴提起相同重物所用的力进行比较，从数据中我们发现了什么？把我们的发现记录在表格中。

找一找，在我们的周围，哪些地方应用了轮轴？它们的哪一部分相当于轮？哪一部分相当于轴？

轮轴给我们的工作带来了哪些方便？

5 定滑轮和动滑轮

升旗的时候，我们肯定想过，为什么向下拉绳，旗帜就升上去了？仔细观察一下，我们就会发现，原来旗杆顶部有一个滑轮！

旗杆顶部的滑轮

让我们模拟升旗的装置，来研究旗杆顶部的滑轮。

像旗杆顶部的滑轮那样，固定在一个位置转动而不移动的滑轮叫做定滑轮。

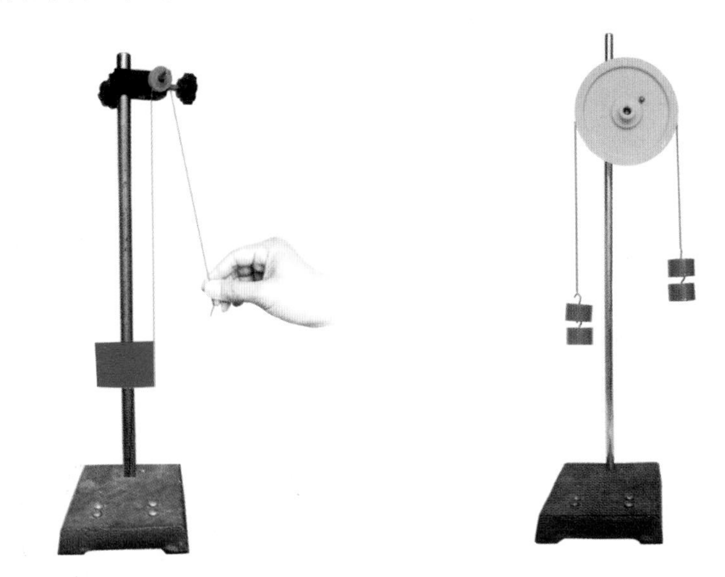

试一试，当我们利用定滑轮提升重物时，需要向什么方向用力？这说明定滑轮有什么作用？

在利用定滑轮提升重物时，定滑轮是不是有省力的作用呢？我们怎样来研究？

我们可以在滑轮两边的绳子上都挂上钩码，看省不省力。
要改变钩码的数量，多做几次看看。

记录下研究数据和我们的发现。

定滑轮作用实验记录表

左边钩码个数	右边钩码个数	定滑轮的状态	我们的发现

会移动的滑轮

像塔吊的吊钩上可以随着重物一起移动的滑轮叫做动滑轮。

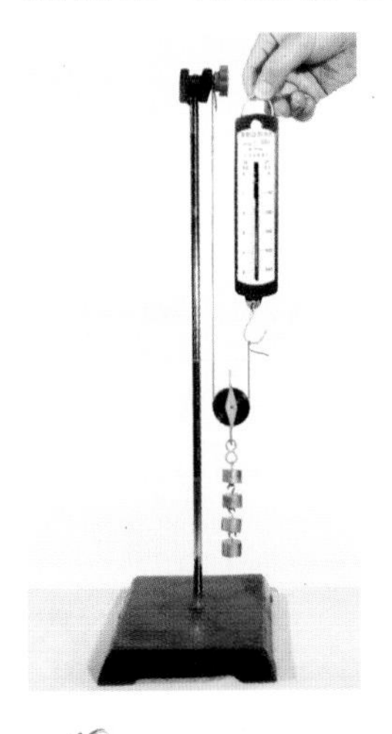

组装一个动滑轮实验装置，用它提升重物。测量用了多大的力，记录并分析数据，看看动滑轮有什么作用。

动滑轮作用实验记录表

直接提升重物的力（N）	用动滑轮提升重物的力（N）	我们的发现

比较定滑轮和动滑轮的作用有什么不同。

想一想，我们在什么情况下使用定滑轮，在什么情况下使用动滑轮？

6 滑轮组

在建筑工地上，总少不了高大的起重机。观察起重机的工作，我们有什么发现？

观察起重机上的滑轮

起重机是怎样将那么重的建筑材料运送到高处的？
注意安全哦！
这么多的滑轮有什么作用呢？
数一数塔式起重机上一共有多少个定滑轮和动滑轮。

滑轮组的作用

把动滑轮和定滑轮组合在一起使用，就构成了滑轮组。

● 我们用一个定滑轮和一个动滑轮组装一个最简单的滑轮组。

滑轮组会有什么样的作用？

用这个滑轮组来提升不同重量的物体。观察用力的方向，测量用力的大小。

与直接提升物体的用力方向、用力大小比较，我们有什么发现？

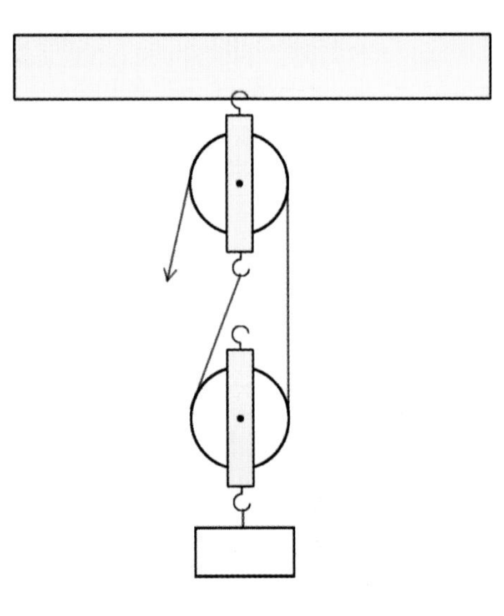

滑轮组作用的实验记录表（一）

直接提升物体的力（N）	用滑轮组提升物体的力（N）	我们的发现

● 我们用多个定滑轮和多个动滑轮组装一个滑轮组。

这样的滑轮组作用会怎样？作出我们的推测，并用实验检验推测。

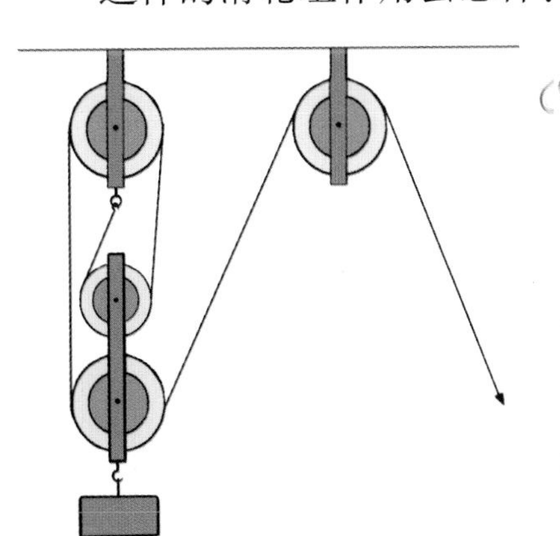

滑轮组作用的实验记录表（二）

直接提升物体的力（N）	用滑轮组提升物体的力（N）	我们的发现

想一想，滑轮组中的滑轮数量越多越好吗？

用我们的研究结果解释，为什么塔式起重机能够吊起那么重的物体。

● 有趣的游戏。

找一根长绳子和两根光滑的木棒，绳子的一端拴在一根木棒上，然后在两根木棒间绕一圈半或两圈。

两个同学各自握住一根木棒，一个同学拉住绳子自由的一端，三人同时用力。增加绳子在木棒上绕的圈数，继续做这个游戏。

我们发现了什么有趣的现象？怎样解释这种现象？

7 斜面的作用

来到山区，我们会发现山路弯弯，盘旋其间。山路为什么要这样修建？

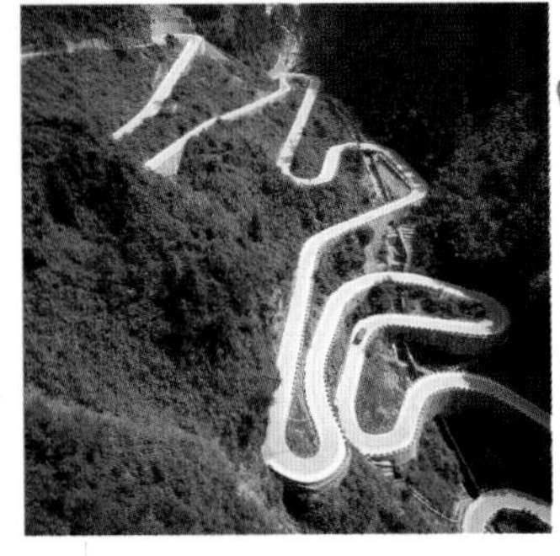

斜面有什么作用

像搭在汽车车厢上的木板那样的简单机械，叫做斜面。

我们怎样来研究斜面是否能够省力呢？

斜面能省力吗？
我们要把向上提升物体用的力和沿斜面提升物体用的力做个比较。
我们先制定一个研究计划吧。
我们还可以研究不同物体在同一斜面上提升的用力情况。
我们可以搭个斜面来研究。

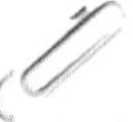

斜面作用的实验记录表

	提升不同的物体				我们的发现
	1	2	3	4	
直接提升物体的力					
沿斜面提升物体的力					

不同坡度的斜面

把一块木板分别搭在高低不同的木块上，可以做成几个坡度不同的斜面。

分别沿着这些斜面将一个重物拉上去，用测力计测量用了多大的力。记录下在每种斜面上用力的大小。

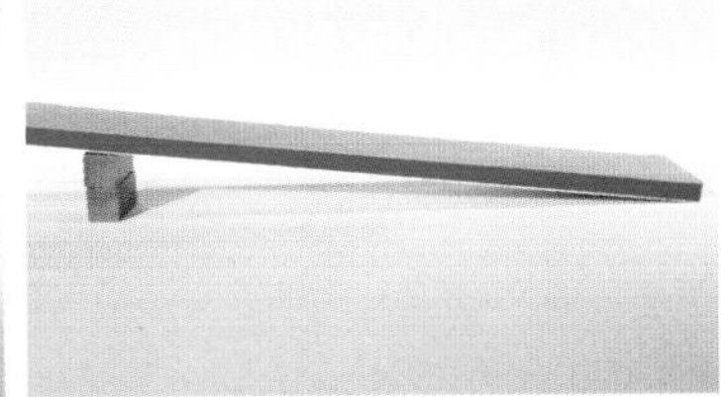

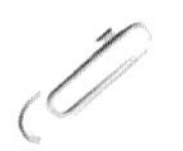

不同坡度斜面作用的实验记录表

（用1、2、3、4表示坡度由小到大）

直接提升物体的力（N）	沿不同斜面提升物体的力（N）				我们的发现
	1	2	3	4	

分析实验数据，我们发现斜面有什么作用？不同坡度斜面的作用有什么不同和相同？

我发现不同坡度的斜面都能够省力。
我能解释盘山公路为什么修成“S”形了。

螺丝钉也是斜面吗?

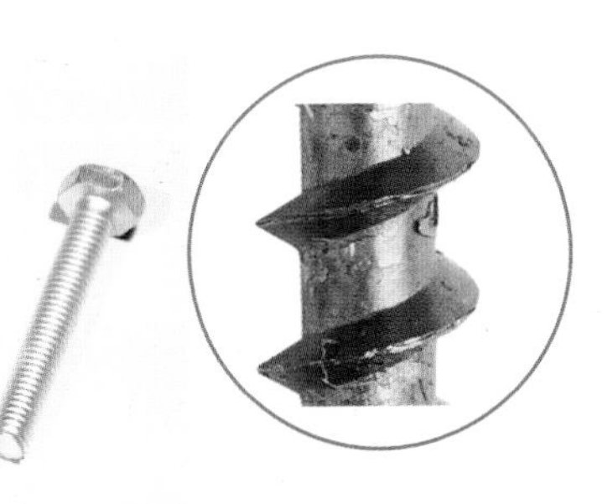

8 自行车上的简单机械

自行车是简单、方便、环保的交通工具，很多人都喜欢使用它。

自行车上的链条和齿轮

自行车是依靠人的力量前进的，人脚蹬的力是怎样传到车轮上去的？

链条与两个齿轮啮合，起到传递动力而使自行车运动的作用。两个齿轮的大小对改变轮子转动的快慢有什么作用？

测量一下，转动自行车的大齿轮一圈，会带动后轮小齿轮转动多少圈？转动小齿轮多少圈，才会使大齿轮转一圈？

注意安全，不要轧了手指啊！

两个齿轮转动时，我看它们转过的齿数好像是相同的。

我们做上记号数一数，看是不是这样。

齿轮转动的快慢与齿轮的大小是什么关系？把我们的发现写下来。

大齿轮带动小齿轮转动时，小齿轮转动比大齿轮__________；

小齿轮带动大齿轮转动时，大齿轮转动比小齿轮__________。

变速自行车上大齿轮有几个？小齿轮有几个？研究一下变速是怎样发生的。

最小的大齿轮带动最大的小齿轮，转速会……

转速变化了，我们用的力肯定就不相同了吧。

寻找自行车上的简单机械

自行车上使用了一些不同的简单机械。我们找找看，能在自行车上发现哪些简单机械。

自行车的车把
是一个轮轴。
自行车的脚蹬子也
是一种轮轴吧。
自行车上还有不
少简单机械咧。

自行车上的简单机械记录表

自行车部件	简单机械类型	所起到的作用

我们已经认识了一些简单机械，归纳起来，机械有哪些作用？

我们发现简单机械的作用有：

阿基米德撬地球的故事

在两千多年前的古希腊，有一位科学家叫阿基米德。他发现了杠杆和滑轮的使用原理和浮力定律，在数学方面也有很多研究成就。他不仅是一位大科学家，而且是一位卓越的工程师，他发明的许多机械装置，如滑车、螺旋抽水机等，用于当时的农业生产。

据说，阿基米德曾经对国王夸口说："只要在宇宙中给我一个支点，我能用一根长长的棍子把地球撬起来。"

我们知道，地球是很大很重的。地球平均半径有6 371千米，重量约为60万亿亿吨（6后面要写上21个零）。阿基米德有多大的力气能撬起地球？这是科学家的狂妄吗？不是的。如果有一根很长很长的棍子，如果确实能找到一个支点，如果地球到支点的距离很近很近，而阿基米德的用力点距离支点很远很远，总会有一个足够大的距离使阿基米德能用自己的力量撬动地球。这在理论上是说得通的，它说明阿基米德已经掌握了杠杆省力的原理。当然，实际上阿基米德的夸口是无法实现的。

国王对阿基米德说："你撬动地球的事反正没法证明，可是你得搬一个极重的东西给我看看。"说来也巧，国王正在为埃及国王造一艘大船。这艘船太大了，造成以后却无法把它弄下水去。大家面对着这艘大船都感到束手无策。这时候，国王想起了阿基米德夸口的事来，就把他找来说："现在要看你撬动地球的本事了。"

阿基米德经过一番努力，精心设计了一套杠杆和滑轮系统。一切准备妥当以后，他把国王请来，并把绳子的一端交给他，说：“请陛下拉动绳子吧。”当国王不断拉动绳子时，大船居然慢慢移动了起来，最后平稳地被推到了水中。这一奇迹轰动了全城，人们赞叹不已。国王钦佩万分，特别发出布告说：“从今以后，凡是阿基米德所说的，都要遵照执行。”

杠杆秤的家族发展史

据古书记载，远在四五千年前，我们的祖先就发明了天平。今天我们还能在博物馆里见到二千多年前的天平。

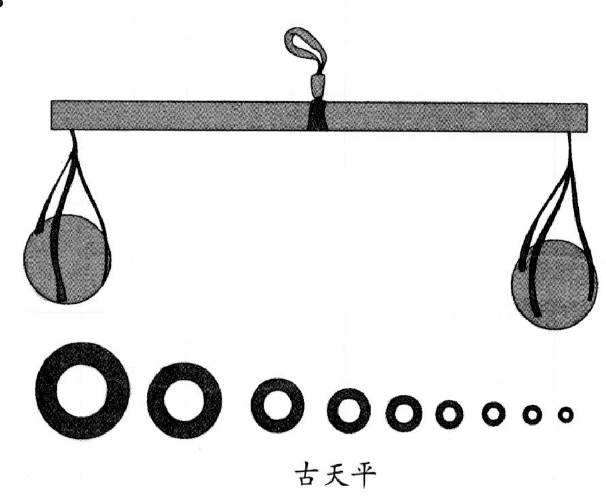
古天平

这些古代天平和现在的天平模样却大不一样。它有一根木质或青铜质的秤杆，秤杆的中点系着提绳，两端都固定挂着一个秤盘。一个秤盘放要称的物品，另一个秤盘放砝码。有意思的是，当时的砝码是一整套大小不一的青铜圆环。古代天平称得上是杠杆秤家庭中的老祖宗了。

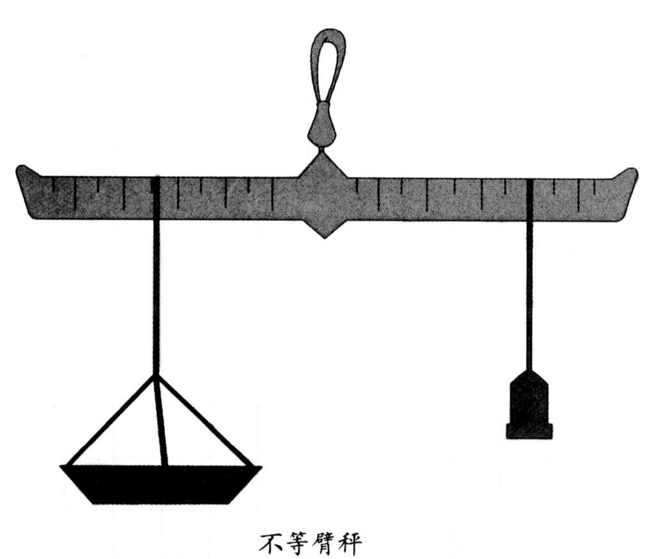
不等臂秤

天平称物体像一个人张开双臂提东西，所以叫等臂杠杆秤。它的特点是秤杆上挂砝码的一边和挂物品的一边长度相等，因此放的砝码必须与被称物品重量相等。这就使天平只适合于称较轻的东西。要称几十、几百千克的东西就得放几十、几百千克的砝码，太麻烦了！

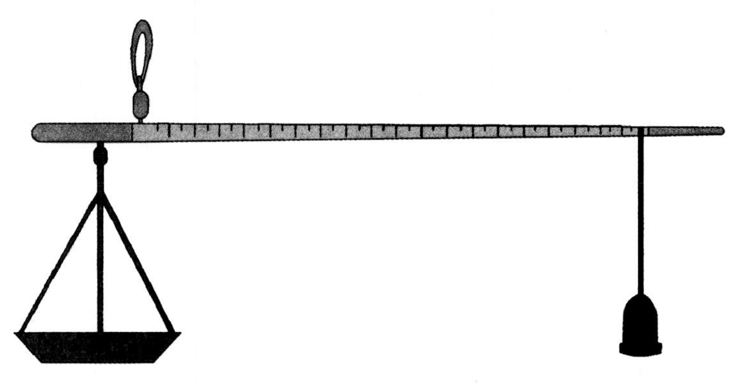

提系杆秤

到了两千多年前，人们终于找到了“小小秤砣压千斤”的巧办法，这就是不等臂秤。

不等臂秤的特点是：秤杆上有尺寸刻度，挂物品的绳子和挂秤砣的绳子都可以在秤杆上滑移。不再用整套的砝码，而采用一个重量固定的秤砣。我们在博物馆里可以见到两千五百年前的秤砣和两千四百年前的秤杆。不等臂杠杆秤称得上杠杆秤家庭中的第二代了。

然而，不等臂秤不能直接读出物品的重量，必须用杠杆省力的原理进行计算，使用起来不太方便。大约到了一千五百年前，人们发明了提系杆秤，它结构简单，使用方便，可以直接从秤星上（刻度）读出物品的重量，至今还在使用。这称得上杠杆秤家庭中的第三代了。

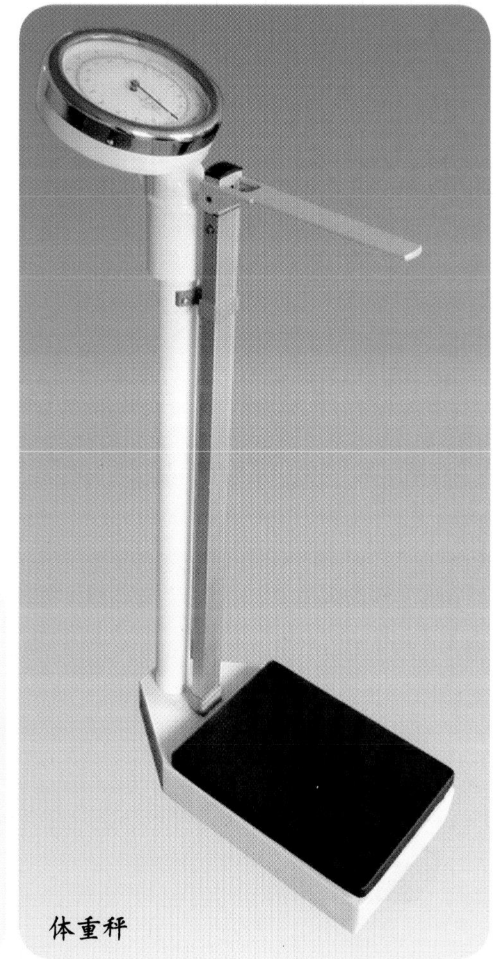

体重秤

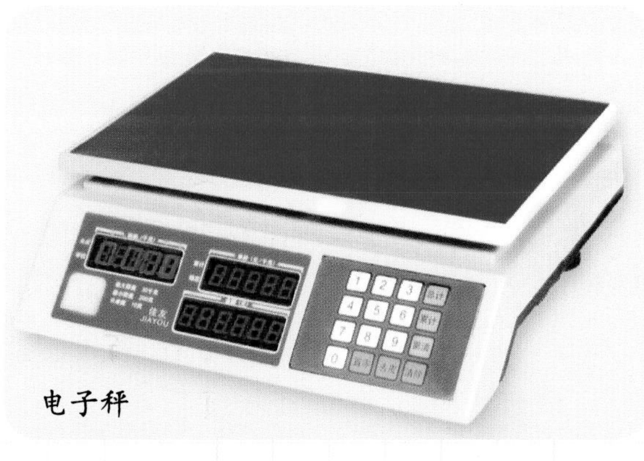

电子秤

托盘秤

现在又有了指针式弹簧秤、电子秤。它们更方便、更准确，只需把要称的物品放在秤盘中，指针就指出物品的重量了。不过，现在很多的秤中，仍然有杠杆的构造，应用着杠杆省力的原理。

身体上的杠杆

我们手臂一抬就能拿起东西来。这是我们身体里杠杆在起作用，你信吗？

前臂骨像是一根杠杆，一端是肘关节处，是支点；另一端与手部连接，是阻力点；上臂正面的肌肉叫做肱二头肌，它有一端连着前臂骨，这点就是杠杆的用力点。手臂拿东西时，肱二头肌一用力收缩，就把前臂骨提上来了，我们也就拿起了东西。前臂骨用力点在中间，是费力省距离的杠杆，肌肉收缩一小段距离，手部就运动一长段距离。

在我们身体上，像这样的杠杆很多。肌肉拉动起杠杆作用的骨骼，我们的身体就做出了各种各样的动作。

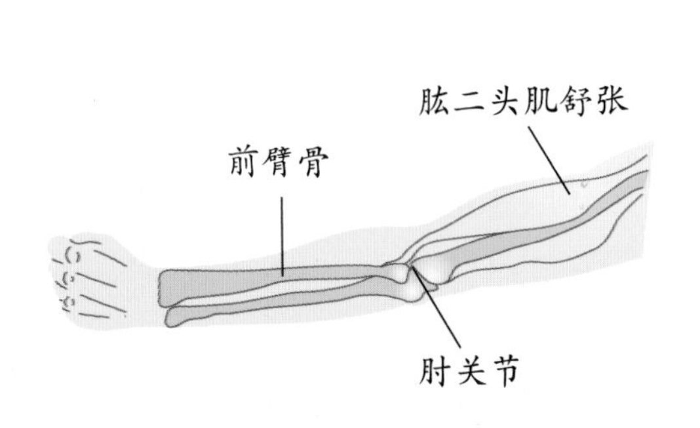

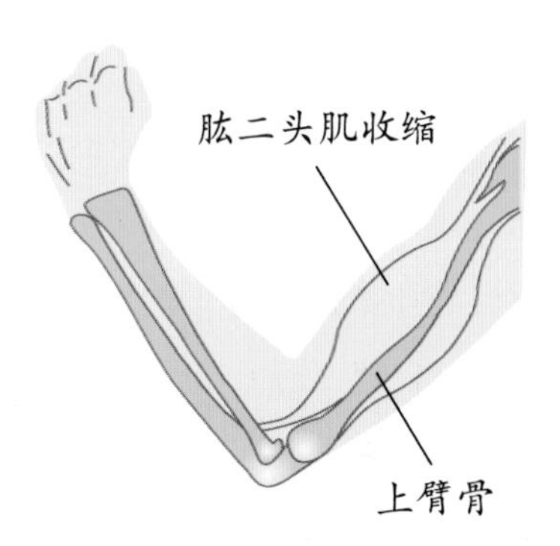

形状与结构

在我们的周围可以看到很多不同形状和结构的物体。它们为什么是这样的形状和结构呢？比如：

为什么钢材要做成“L”“工”字等形状？

为什么很多桥梁要建成拱形？

为什么很多输电线铁塔要做成框架式、上小下大？

……

这样的形状和结构有什么好处？

在这个单元中，我们要当一次小小建筑师，去研究一些常见的形状和结构，探究它们承受力的特点，了解人们是怎样巧妙利用这些形状与结构的。我们将亲手制作“塔”和“桥”，在制作过程中探究其中的奥秘，并体验创造的快乐。

1 抵抗弯曲

很早以前，人们就开始造房子、修桥梁了。看看下面的房子和桥梁，它们在形状和结构上有相似的地方吗？

很多的房屋和桥梁都是依靠直立的材料（柱子）和横放的材料（横梁）支撑住的。它们受压时，横梁比柱子容易弯曲和断裂，所以，横梁抗弯曲能力是建筑科学上要研究的重要问题。

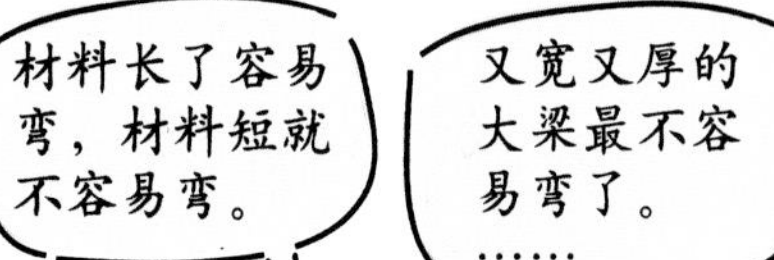

与材料有关，材料不同抗弯曲能力是不同的呀。
材料长了容易弯，材料短就不容易弯。
又宽又厚的大梁最不容易弯了。
……

横梁的抗弯曲能力与什么有关

推测横梁抗弯曲能力与哪些因素有关？

我们为什么这样推测？

我们用厚纸搭一个横梁，测试一下纸梁的宽窄、厚薄怎样影响它的抗弯曲能力。

● 纸梁的宽度与抗弯曲能力。

我们把纸横梁两端垫起一定的高度，把纸梁受压弯曲到接触桌面作为弯曲的标准；用承载垫圈的个数表示纸梁的抗弯曲能力。

第一次测试后，先预测，再实测纸的抗弯曲能力，记录下数据。

纸梁的宽度与抗弯曲能力的测试记录

纸梁的宽度 （以最窄的为标准）		1倍宽	2倍宽	4倍宽
抗弯曲能力的大小	预测			
	实测			

我们发现，纸梁的宽度与抗弯曲能力的关系是：

____

____

____

● 纸梁的厚度与抗弯曲能力。

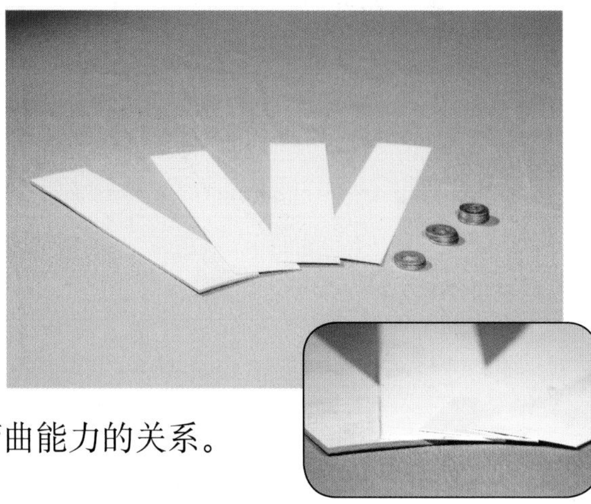

分析数据，描述纸梁的厚度与抗弯曲能力的关系。

纸梁的厚度与抗弯曲能力的测试记录

纸梁的厚度（以粘在一起的张数计算）		1	2	4
抗弯曲能力的大小	预测			
	实测			

我们发现，纸梁的厚度与抗弯曲能力的关系是：________________

____

____

____

横梁平着放好，还是立着放好

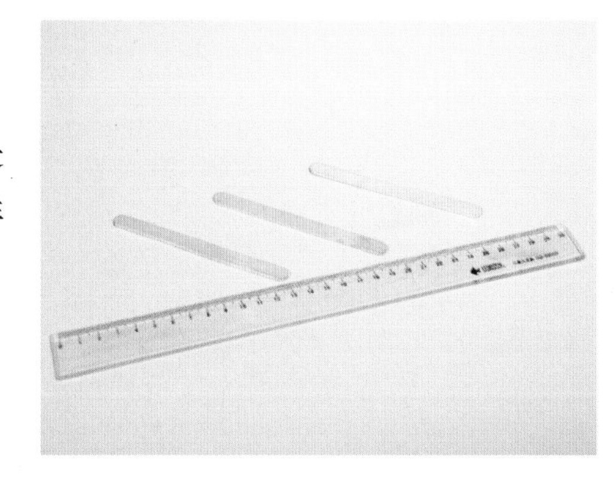

观察横梁的横切面是什么形状的？是平着放的还是立着放的？我们能说明这样安放的理由吗？能用下面的材料来证明自己的理由吗？

2 形状与抗弯曲能力

为什么有的钢材或铝材做成“T”“U”“L”“工”字或“口”字等形状？这些形状与抗弯曲能力有关吗？

形状与抗弯曲能力

一张平展的纸横梁能承重多少？用同样的纸折成像上面钢材形状的纸横梁能承重多少？我们来测试并比较它们的抗弯曲能力。

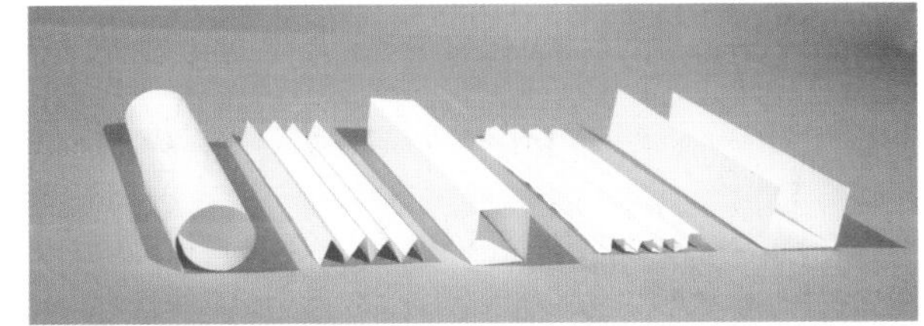

纸梁的形状与抗弯曲能力的测试记录

形　状	—	⊔	/\/\/\	□	○
抗弯曲能力					

“L”形材料的哪一部分像平放的梁立着放了？

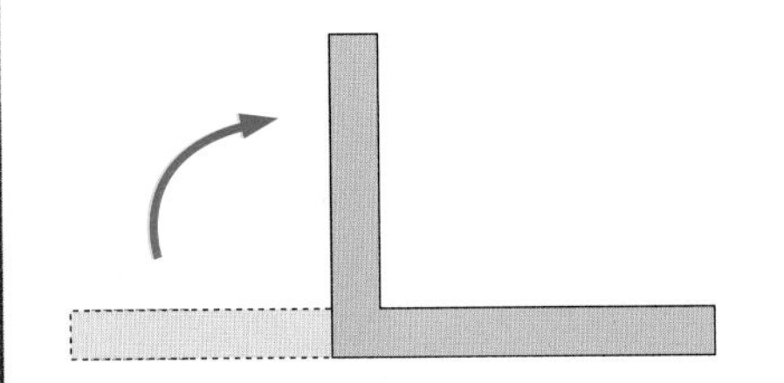

折成各种形状的纸横梁比平板纸横梁抗弯曲能力大多少？为什么改变形状也能提高材料的抗弯曲能力？

> 把薄板形材料弯折成“V”“L”“U”“T”或“工”字等形状，虽然减少了材料的宽度但却增加了材料的厚度，增加厚度是能大大增强材料抗弯曲能力的。
>
> 在不增加材料的情况下，这真是一个好办法！

瓦楞纸板的研究

纸包装箱用的这种材料叫瓦楞纸板。

弯一弯瓦楞纸板，感觉一下它的抗弯曲能力有多大。

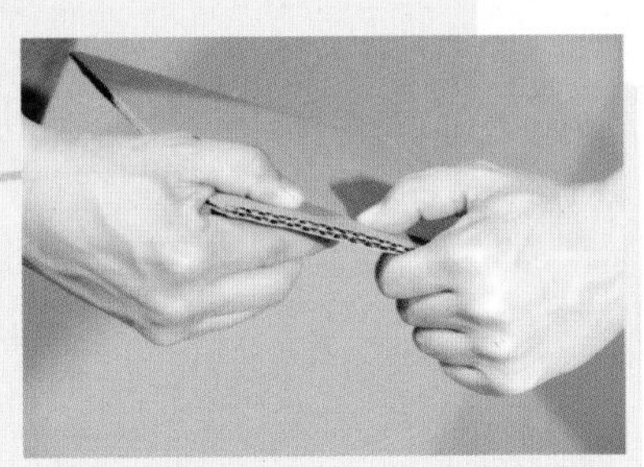

把瓦楞纸板剖开，看看，它的结构是怎样的，各部分的厚薄和软硬是怎样的。

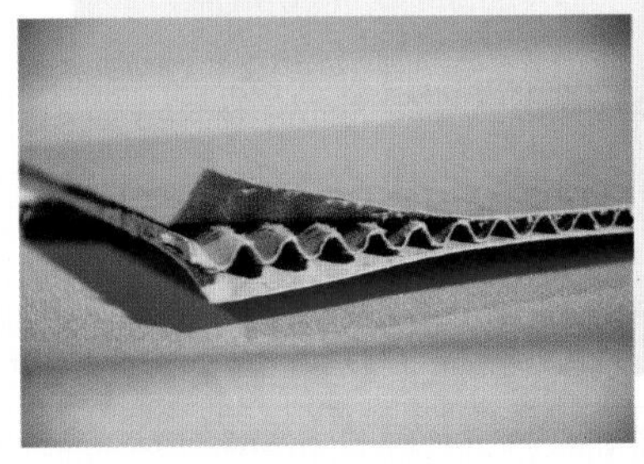

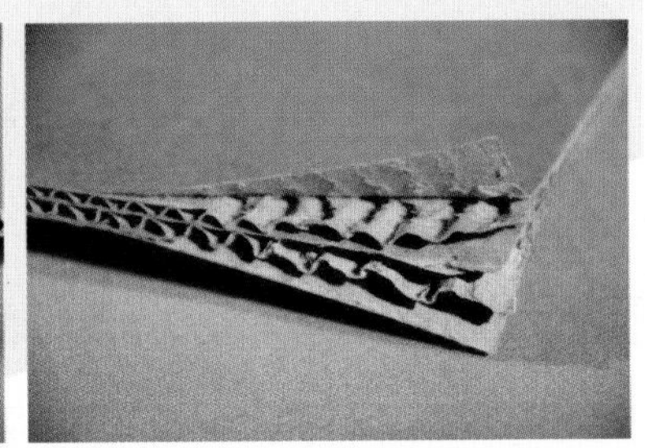

瓦楞纸板的结构为什么能使柔软的纸变坚硬了？试着作出自己的解释和提出一些问题。

3 拱形的力量

柔软无力的纸，做成拱形怎么就变“坚硬”了？
古代城门为什么都做成拱形？

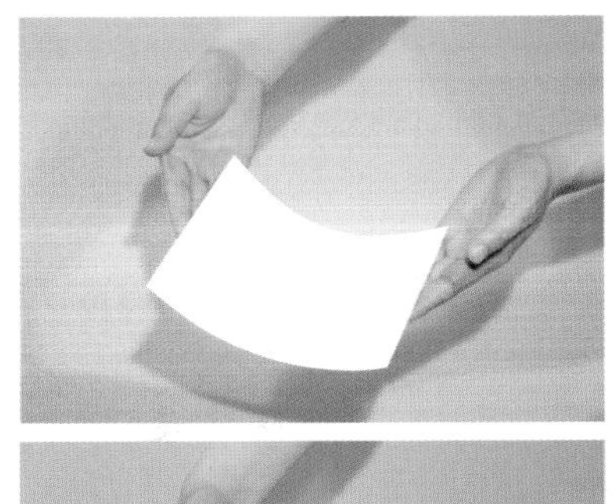
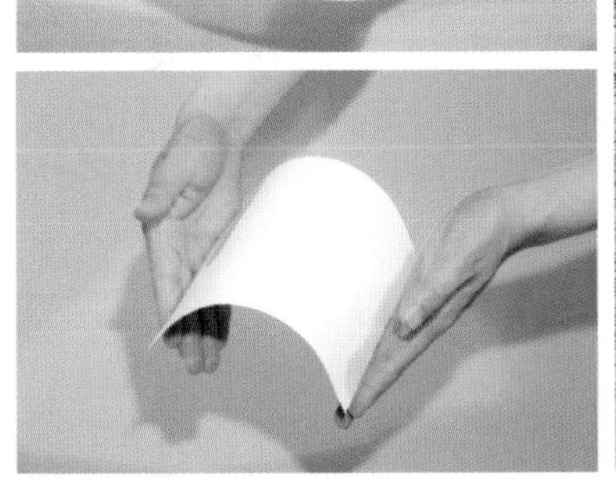

测试纸拱的承重能力

做一个纸拱，试试它能承受多大的重量。

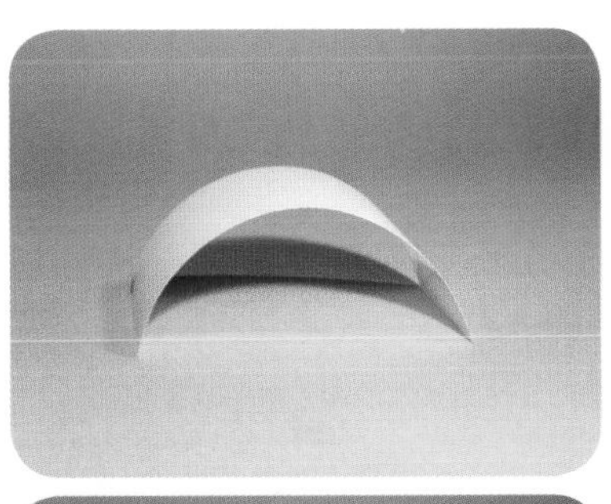
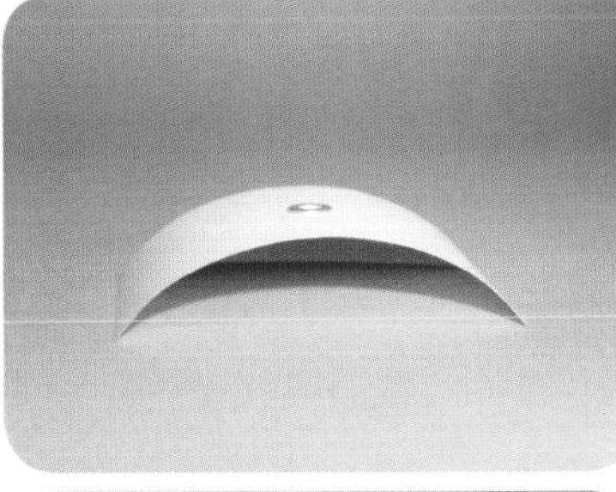
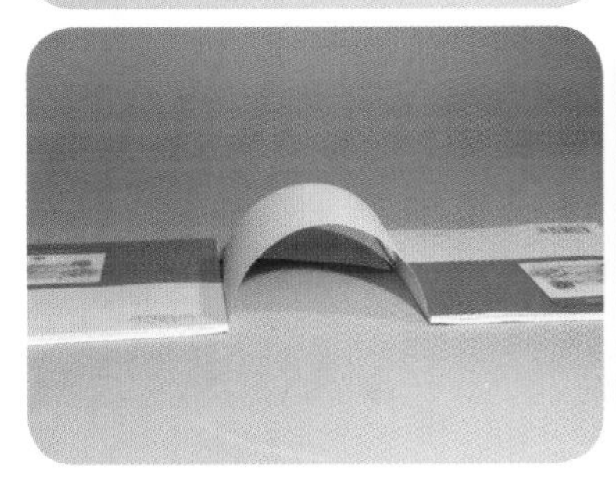

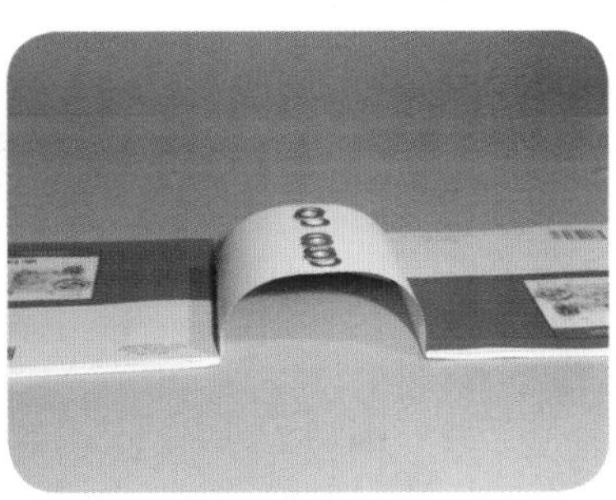

把拱足固定，测试纸拱能承载多大的重量。
观察纸拱随着承重力的增加，形状有什么变化。

怎样才能使纸拱承载更大的重量？

提示

看看拱形在重压下是怎么变形的？怎样使它不变形呢？

搭一个瓜皮拱

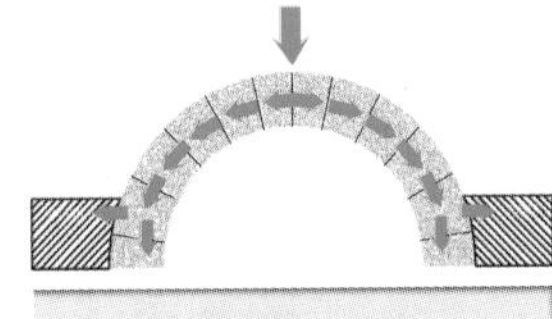

拱形承重的秘密

拱形承载重量时，能把压力向下向外传递给相邻的部分，拱形各部分相互挤压，结合得更加紧密。

拱形受压会产生一个向外推的力，抵住这个力，拱就能承载很大的重量。

利用拱形的特点，人们用小块的砖、石材也可以建造很大的拱。我们来模拟试一试。

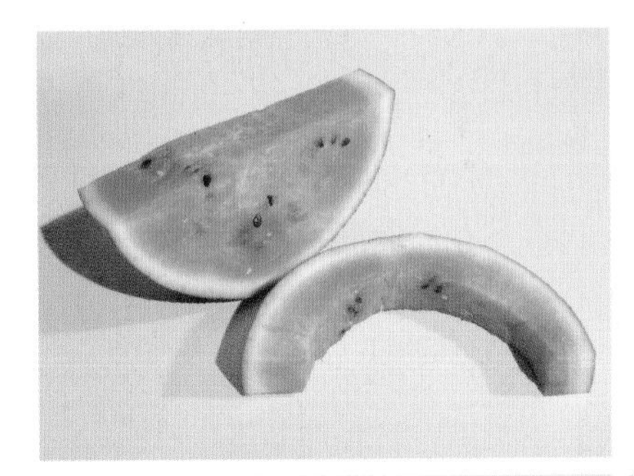

把半圆形的西瓜皮切成5块，注意切口的方向，然后小心搭建一个西瓜皮拱。

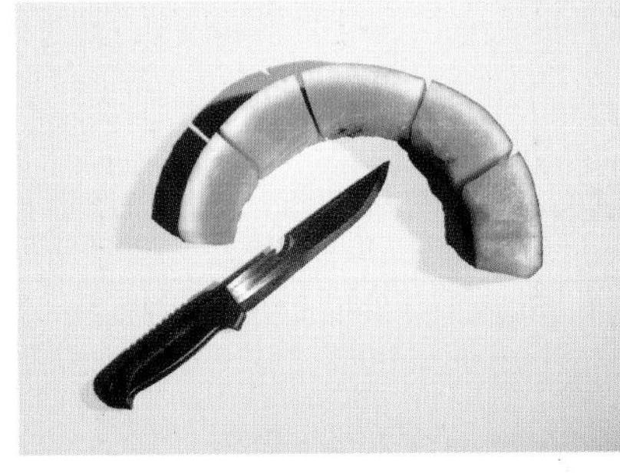

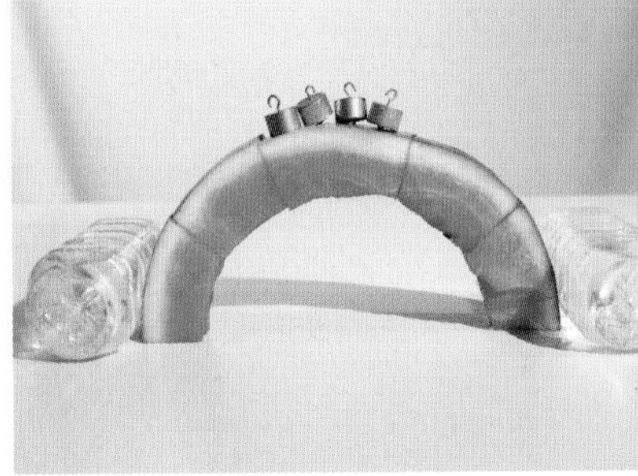

我们能解释西瓜皮拱为什么不垮吗？

4 找拱形

拱形结构承载重力有什么特点？我们知道哪些拱形建筑？

我们周围还有许多圆弧形的物体，它们与拱形有相似的特点吗？

圆顶形和球形

观察剖开的乒乓球壳，看一看、捏一捏，它的厚薄、软硬怎样？

试一试，三个这样的乒乓球壳扣在桌面上能承载多大的压力？

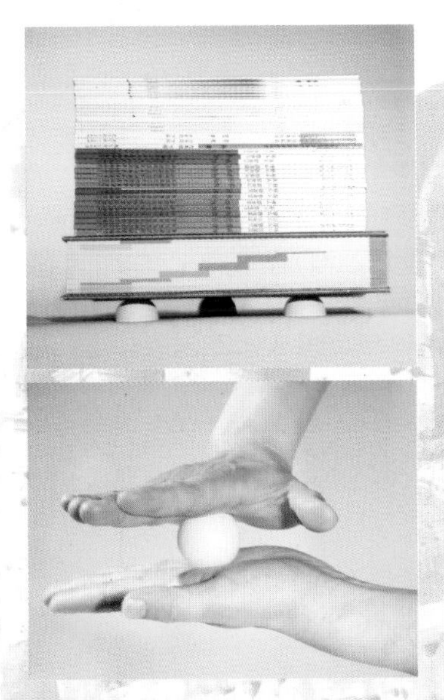

用手使劲捏、压一个完整的乒乓球，容易压瘪吗？

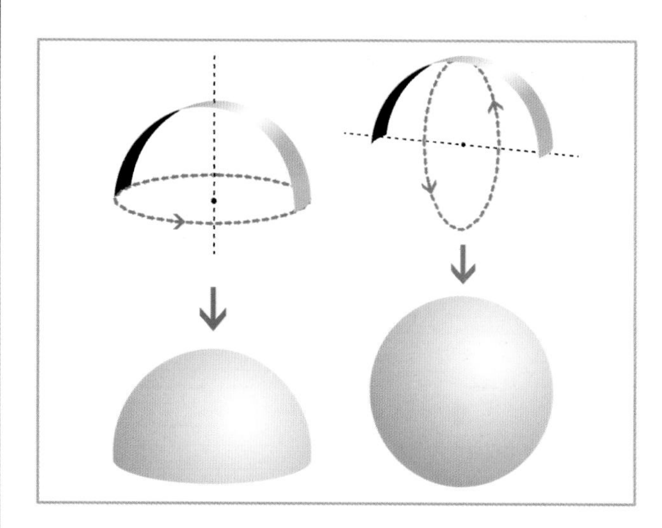

圆顶形与拱形有哪些相似的地方？试着解释圆顶形承载压力的特点。

球形与拱形有哪些相似的地方？试着解释球形承载压力的特点。

圆顶形可以看成拱形的组合。它有拱形承载压力大的特点，而且不产生向外推的力。

球形在各个方向上都可以看成拱形，这使得它比任何形状都要坚固。

我们还能举出哪些类似拱形的形状？

悉尼歌剧院

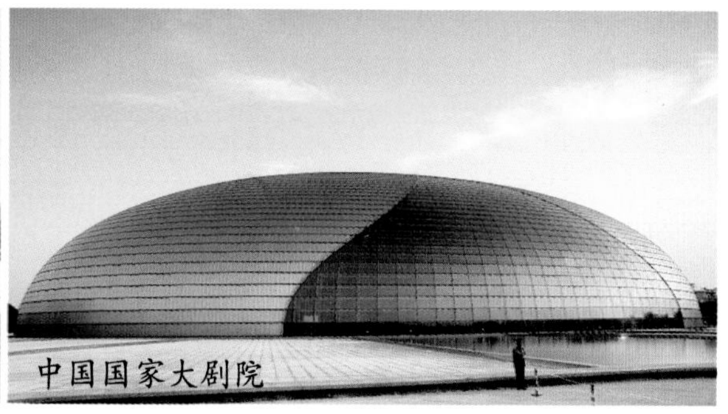

中国国家大剧院

塑料瓶的形状

仔细观察塑料饮料瓶的上部、中部和底部各是什么形状，表面还有哪些形状。

用手把塑料瓶压凹下去，感觉用力的大小。比较哪里更硬，哪里更软。

观察剪开的塑料瓶，各部分的厚薄相同吗？

塑料饮料瓶的观察记录表

	上部	中部	底部
形状			
最厚的地方		最薄的地方	
最硬的地方		最软的地方	

塑料饮料瓶的形状设计包含着哪些科学道理？

生物体中的拱形

人体的结构非常巧妙。人的头骨近似于球形，可以很好地保护大脑；拱形的肋骨护卫着胸腔中的内脏；人的足骨构成一个拱形——足弓，它可以更好地承载人体的重量。

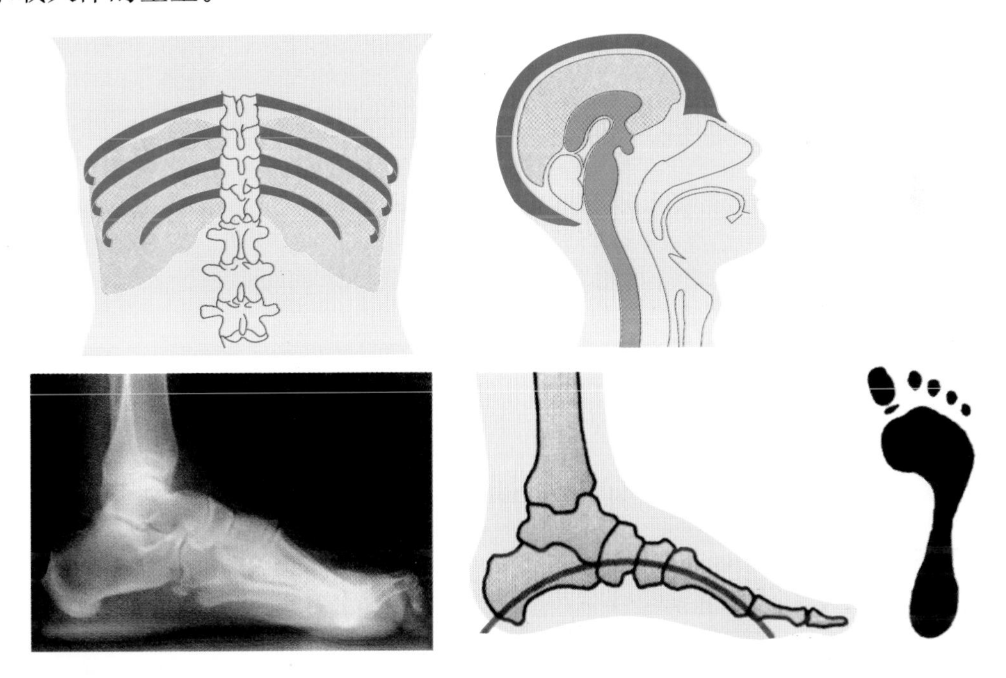

观察下面这些外壳，说说这些形状对生物本身有什么意义？

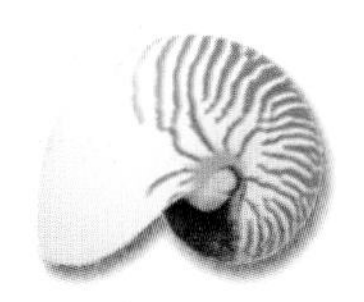

5 做框架

像铁塔这样骨架式的构造叫做框架结构。让我们来制作框架。

做简单框架

扎一个三角形框架和长方形框架。

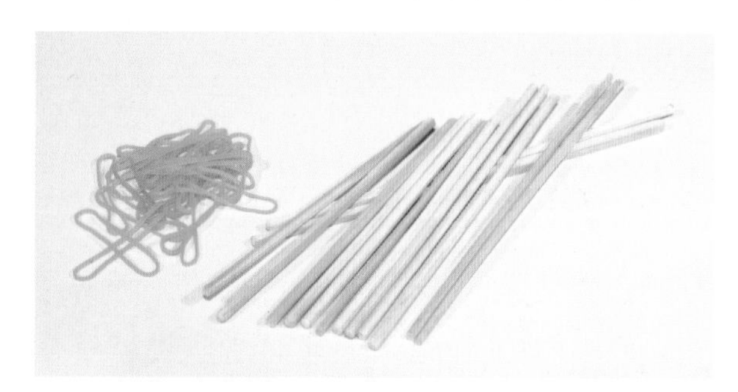

观察它们受到力的作用时有什么不同，哪一个容易变形？

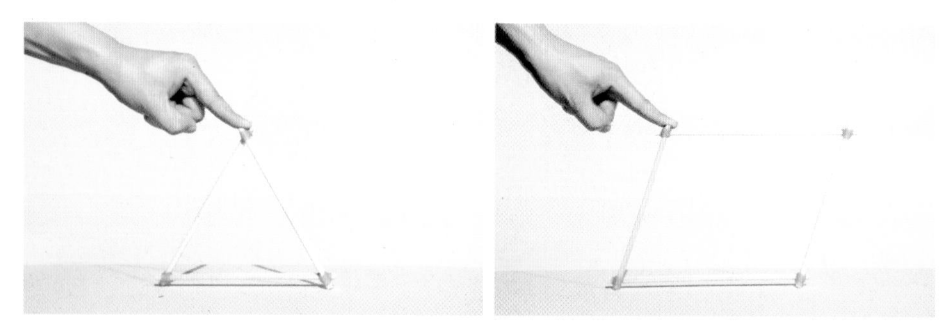

我们可以把长方形框架加固吗？

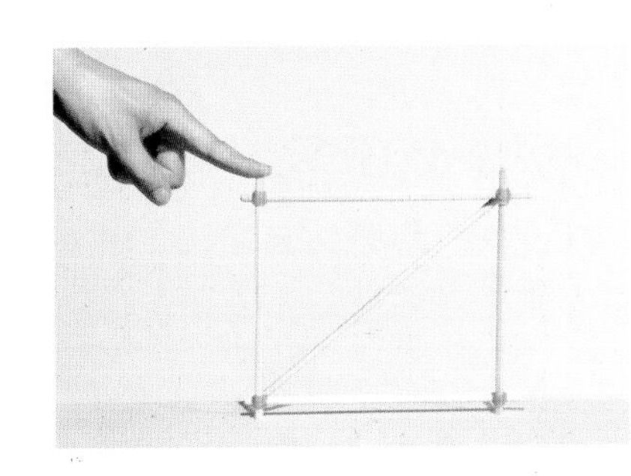

增加的斜杆起什么作用？

观察组成大型框架结构的“小格子”是什么形状的，并做出自己的解释。

做一个坚固的正方体框架

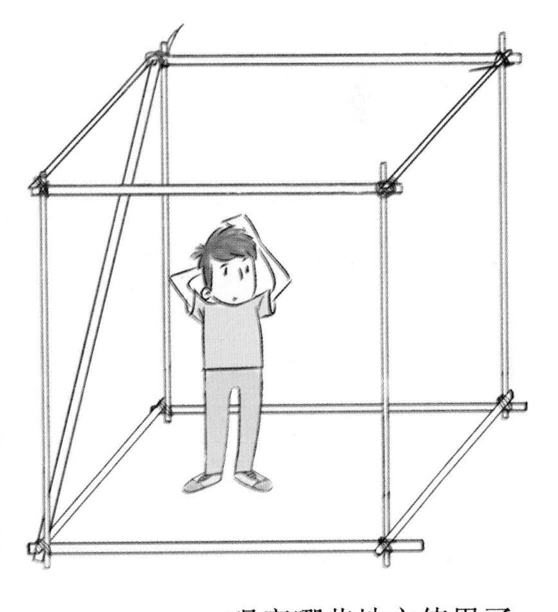

我们来做一个正方体框架。

加固这个框架可以在什么位置加斜杆？如果正方体框架是承载向下压力的，哪些地方可以不加斜杆？

用较少的斜杆加固这个正方体框架。

数一数框架中有多少个三角形。

以一根斜杆为例，试分析它起的作用。

在做好的框架上放书，它能承载多少本书？

观察哪些地方使用了框架结构，使用这些框架结构有什么好处？

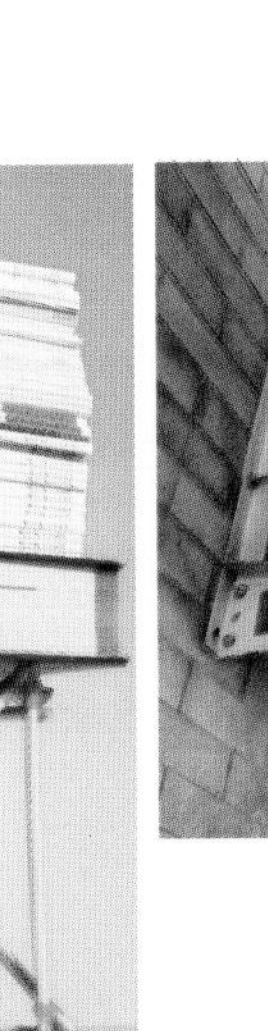

6 建高塔

我们利用框架结构可以用较少的钢材建造很高的铁塔。

建造这样高大的铁塔，不但要做到结实不变形，还要保持直立不倒。

这些高大的铁塔会受到哪些力的作用？观察它们的形状和结构，是哪些特点使高塔不容易倒，把我们的猜想写下来。

物体不容易倒的秘密

塑料瓶怎样放最容易倒？
塑料瓶怎样放不容易倒？
怎样做，塑料瓶最不容易倒？

要想使物体不容易倒，我们可以用些什么方法？

建造不容易倒的“高塔”

用下面的材料做一个“高塔”，比比哪个组做的塔又高又稳定。

看看这些材料有什么特点，要想使我们建造的“高塔”不容易倒，可以采用哪些方法？

测量“塔”的高度，哪组最高？

把“塔”放在纸板上，慢慢倾斜纸板，哪组的“塔”最不容易倒？

我们采取了哪些办法使“高塔”不容易倒？

扇风试试，我们建造的“高塔”抗风能力如何？

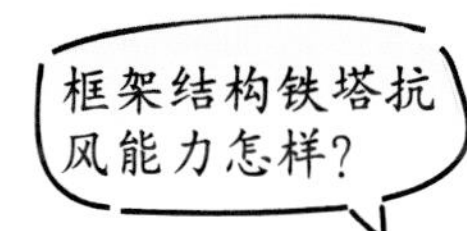
框架结构铁塔抗风能力怎样？

铁塔不容易倒的再思考

哪些特点使框架铁塔不容易倒？

看看我们先前的猜想，哪些得到了验证，哪些需要修正、补充？

框架结构铁塔的特点：

7 桥的形状和结构

桥帮助我们跨越江河、峡谷、道路和其他障碍，是我们生活中常见的建筑。桥的形状结构外露，使我们很容易观察它们。

让我们来收集有关桥的图片和资料，研究一下桥吧。

这些桥是什么形状和结构的？我们还知道哪些桥的结构？

随着科学技术的发展，桥梁的结构越来越多样了。

各式各样的拱桥

桥面在拱下方的拱桥，桥板拉住了拱足，抵消拱向外的推力，减少了桥墩的负担。桥面也比较低而且平坦，方便通行。

观察比较这些拱桥，它们有什么相同和不同，各有什么优点？

做一个没有外推力的拱。

大跨度的钢索桥

钢缆能承受巨大的拉力，人们用它建造钢索桥，大大增加了桥的跨越能力。观察钢索桥的结构，它有什么显著特点？

江阴大桥

跨越长江的江阴大桥，跨度达1 385米，一跨过江。吊起桥面的主钢缆，每根都由两万多根钢丝组成。钢缆要承受6.4万吨的拉力。

工人正在安装主钢缆

从桥上看主钢缆

让我们模拟建造一座“钢索桥”，体验一下“钢缆”的拉力。

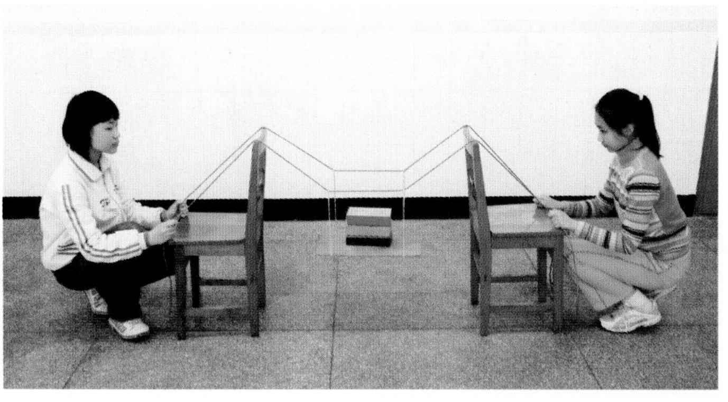

两人同时用力拉绳子把“桥”吊起来。我们朝什么方向用力?

让吊“桥”的绳子下垂多一些和把绳子尽量拉平直一些，感觉用力的大小有什么变化？想一想桥塔为什么要修那么高?

观察这座钢索桥，它使用了哪几种结构？这样做有什么好处?

观察研究我们家乡的桥，画出它的结构，写一段介绍它的短文。

8 用纸造一座“桥”

一张报纸，薄而柔软，用它能造一座“桥”吗？

在规定的时间里，用一张报纸，少量的胶带建造一座“桥”，要求“桥”能跨越35厘米宽的“峡谷”，宽度大于10厘米，能承载200克重的“车辆”。

我们要像真正的桥梁工程师那样设计建造一座结实的桥了。

用纸造“桥”要考虑哪些问题

“桥”的设计方案

使用材料	报纸一张，胶带少量	设计简图
结构说明		
制作步骤		

开始建造吧。

测量和试验我们的“桥”，达到任务的要求了吗？

介绍评价我们的“桥”

怎样介绍我们的“桥”？我们可以参考下面的内容。

- 纸桥的长、宽尺寸，承重的能力。
- 我们是怎样改变纸的形状和结构的，应用了哪些科学知识。
- 制作过程中遇到了什么困难，是怎么解决的。
- 哪些地方还做得不够好，可以怎样改进。

评价各小组造的“桥”，找出它们各自的优点。

资料库

精打细算做钢梁 

在武汉长江大桥上，横卧桥墩的巨大框架梁都是由横切面为“工”字形的钢材构成的。

为什么用“工”字形钢材？

建造桥梁需要保证桥梁有足够的强度，又要尽量节约材料。构成框架的钢材用什么形状的好呢？横切面是“工”字形的钢材像两个背靠背的槽钢，而槽钢又像两个相对的“L”形钢材，也就是说“工”字形钢像由四个“L”形钢材对称组成。比起“L”形钢和槽钢，它的四个边更不容易折弯，在节约材料的前提下，它又有较大的厚度。这就使“工”字形钢有很强的抗弯曲能力，又比同样厚度的矩形钢少用许多钢材。经试验，如果承受同样的重量，把钢材做成“工”字形，比做成矩形要节省钢材一半以上！

火车轨道用的钢轨是一种形状稍微变化了的“工”字形钢。

为了使钢轨安放在枕木上足够稳定，就把轨底做得比较宽，为了更好地承受车轮的压力，就把轨头做得比较窄而厚。抗弯曲任务主要由轨底和轨头承担了，轨腰就做得比较薄。这样，钢材作用得到最充分的发挥，可算是精打细算了。

把钢材横切面做成一些特殊形状，这样的钢材叫做型钢。除“工”字钢外，还有槽钢、角钢、“口”字形钢，等等。所有这些型钢的抗弯曲力都比同重量、同长度的钢条强。

麦秆与钢管

麦熟了，沉甸甸的麦穗随风摇摆。为什么细细的麦秆能够支持得住比它重得多的麦穗呢？秘密就在于它是空心的。如果用和空心麦秆同样多的材料，做成一根同样长的实心的麦秆就支持不住这沉甸甸的麦穗了。

许多植物的茎都是空心的，如竹子、水稻、芦苇以及许多小草。动物身体中的很多骨头也是如此，如手臂骨和腿骨都是空心的。同样多的材料，做成空心的管状比做成实心的棒状要粗得多，而且任何方向的抗弯曲力都相同。植物、动物真“聪明”，能节约材料建造结实的身体！

受大自然的启发，人们制造了钢管。钢管重量轻、强度高，比同样多材料做成的钢棒能承受更大的力，所以，建筑工地支架、自行车身都用管状材料而不用实心材料。

空心管不但抗弯曲能力强，而且中间还可以输送气体和液体。难怪在我们的生活中到处都用到空心管子。

能 量

很早以前，人们就认识了磁现象和电现象。大约在两百年前，有人提出问题，电与磁有关系吗?

为什么提这样的问题？因为那时已发现，声、光、电、热之间是有关系的，比如木柴燃烧可以产生热和光；电可以产生光、声和热……那么，电与磁也可能有关系吧?

在本单元中，我们要去探究电与磁的秘密。在探究中，我们会逐渐发现一个不断变化的能量世界，发现我们天天都生活在能量世界里，我们做的每一件事情都和能量有关。

什么是能量？能量有哪些形式？能量是怎么变化的？在本单元的学习中，我们会寻找到这些问题的答案，而且还会学习到更多的知识。

1 电和磁

1820年，丹麦科学家奥斯特在一次实验中，偶然让通电的导线靠近指南针，发现了一个奇怪的现象。就是这个发现，为人类大规模利用电能打开了大门。

我们也来做一做这样的实验，看看会有什么发现？

通电导线和指南针

组装一个点亮小灯泡的电路，试试小灯泡亮吗？回忆电在电路中流过的路线。

在桌上放一个指南针，指针停止摆动后，指南针指向什么方向？把电路中的导线拉直靠在指南针的上方，与磁针指的方向一致。

接通电流时指南针有什么变化？断开电流后指南针有什么变化？反复做几次，结果怎样？

有办法使实验效果更明显一些吗？

多用几节电池试试。
电池太多，小灯泡会烧坏的。
如果使电路短路，电流就很强，效果会怎样？

提示

电路短路，电流很强，电池会很快发热。所以只能接通一下，马上断开，时间不能长。

只有铁和磁铁才能影响指南针呀！
是电流产生了磁性吧？

分析观察到的现象，我们有什么新发现？

通电线圈和指南针

做一个线圈。用导线在手指上绕10圈左右取下，固定线圈和引出的线。

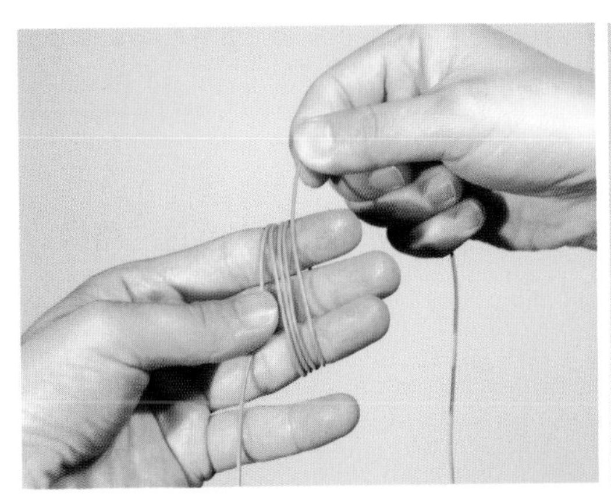

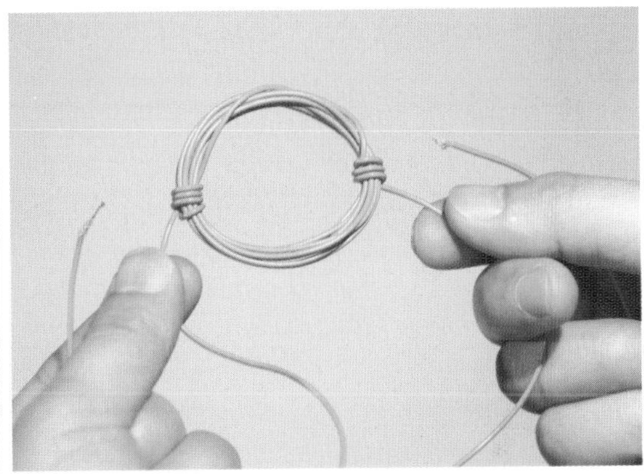

给线圈通上电流，线圈会产生磁性吗？

试一试，线圈怎么放，指南针偏转的角度最大。

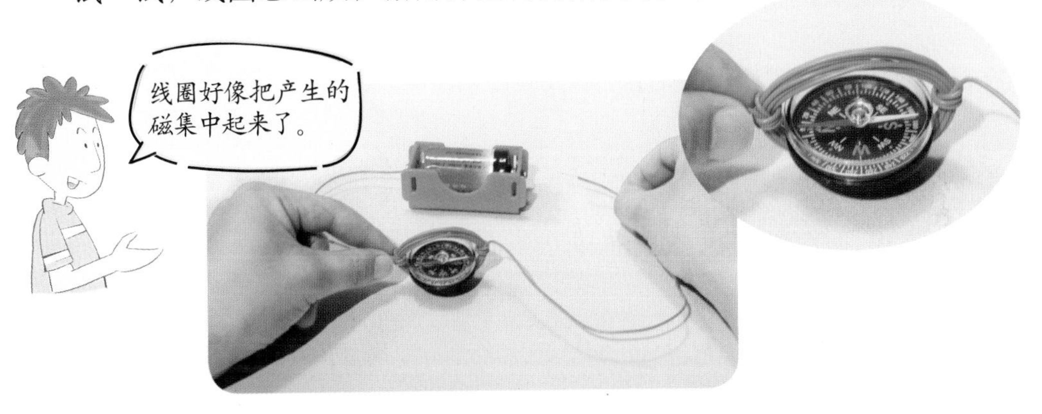

线圈好像把产生的磁集中起来了。

用完了的废电池，一点电都没有了吗？能用我们的线圈和指南针检测一下吗？

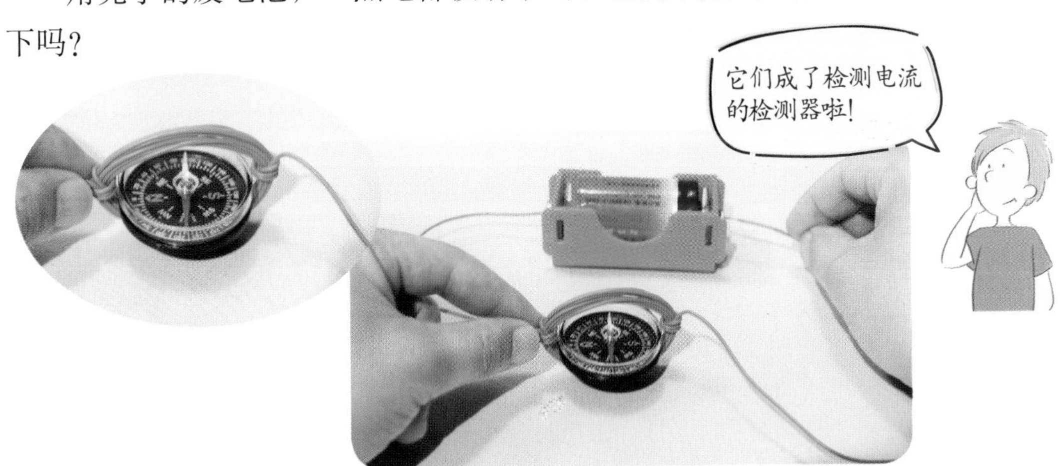

它们成了检测电流的检测器啦！

2 电磁铁

通电的线圈能产生磁性。要是把线圈绕在大铁钉上，铁钉会被磁化吗？

制作铁钉电磁铁

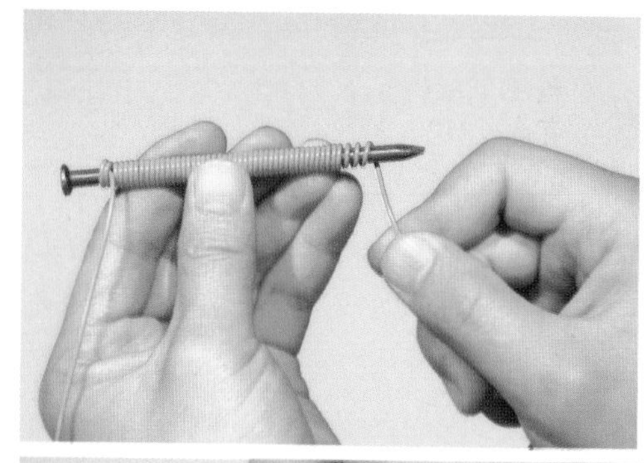

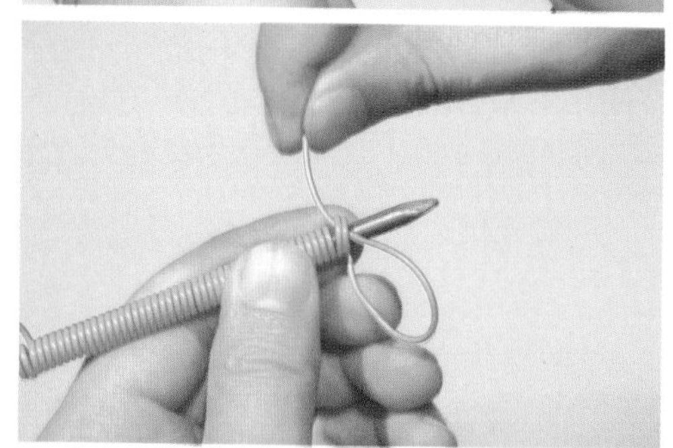

- 在铁钉上绕线圈。

用有绝缘皮的导线在大铁钉上沿一个方向缠绕50圈～100圈，导线两头留出10厘米～15厘米做引出线。固定导线两头，以免松开。

用砂纸把导线头磨光亮。

- 测试铁钉电磁铁。

把电磁铁连接到电池上，能吸起大头针吗？断开电流，还有磁性吗？重复做两三次，看看是不是都是同样的现象。

像这样由线圈和铁芯组成的装置叫电磁铁。

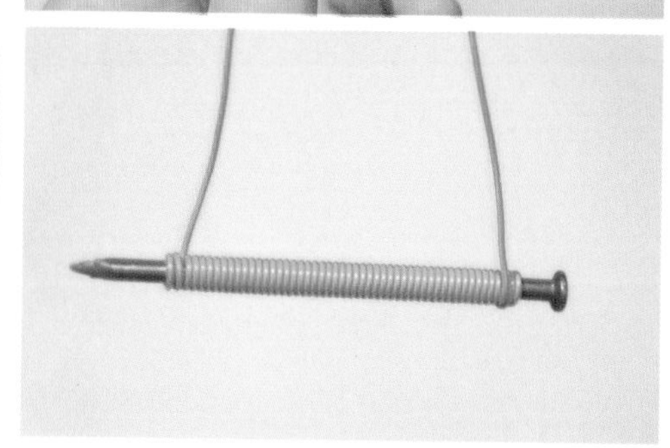

测试一下，我们的电磁铁能吸起多少根大头针。

提示

因为用的导线较短，这个电磁铁是很耗电的，不要把它长时间接在电池上。

铁钉电磁铁的南北极

● 铁钉电磁铁也有南北极吗？

怎样检测电磁铁有没有南北极？
用指南针靠近电磁铁试试。

我们的钉尖是南极，他们的怎么是北极呢？

我们小组的电磁铁钉尖是什么极？钉头是什么极？

与其他小组交流一下，各组钉尖的磁极一样吗？

● 电磁铁南北极与哪些因素有关？

电磁铁的南北极与电池的接法有关吧？
与线圈缠绕的方向有没有关系呢？

两种线圈的绕法示意：
（从左向右看）

逆时针方向

顺时针方向

我们的发现：________________

____

____

3 电磁铁的磁力（一）

搬运杂乱的废钢铁是件很麻烦的事，用电磁铁就省事多了，这个吊车有强磁力的电磁铁，通电时能吸起废钢铁，搬到别处时断开电流，废钢铁便自动落下。

这样强的磁力太令人惊讶了。
我们的电磁铁磁力能增强一些吗？
电磁铁磁性是通电线圈产生的，线圈多少会影响磁力大小吧？

电磁铁的磁力大小与哪些因素有关呢？

作出我们的假设

先想一想电磁铁是由什么组成的，电磁铁磁性是怎样产生的，再对“电磁铁的磁力大小与哪些因素有关”作出假设，并把我们的假设都记录下来。

我们对“电磁铁的磁力大小与哪些因素有关”的假设

我们的假设	我们的理由
1. 电磁铁的磁力大小与线圈圈数多少有关。增加线圈圈数，磁力会增大；减少线圈圈数，磁力会减小	磁性是通电的线圈产生的
2.	

交流我们的假设和作出这些假设的理由。

汇总各小组的假设，列出所有可能影响电磁铁磁力大小的因素。

推测什么因素可能是影响最大的因素。

设计实验，检验假设

用对比实验来检验我们的假设。

先共同检验电磁铁磁力大小与线圈圈数关系的假设。

● 制订小组研究计划。

怎样设计这个对比实验？

我们要检验的因素（即需要改变的条件）是什么？怎样改变这个条件？

为了实验的公平，应当控制不变的条件有哪些？怎样控制这些条件不变？

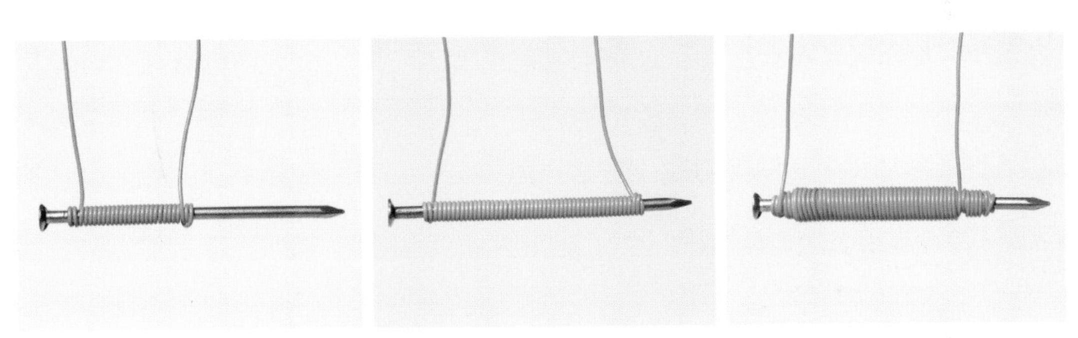

检验电磁铁磁力大小与线圈圈数关系的研究计划

研究的问题	电磁铁磁力大小与线圈圈数多少有关系吗？		
我们的假设	线圈圈数多，磁力大；线圈圈数少，磁力小。		
检验的因素 （改变的条件）			
怎样改变 这个条件	1.	2.	3.
实验要保持 哪些条件不变			

● 交流小组的研究计划。

对于其他小组的研究计划，我们能提出哪些问题，哪些建议？

我们小组的研究计划需要做一些修改吗？

● 实施小组研究计划。

明确小组成员的分工，按照研究计划开始实验并做好实验记录。

提示

不要长时间接通电磁铁，以免电池耗电太多，影响实验的准确性。

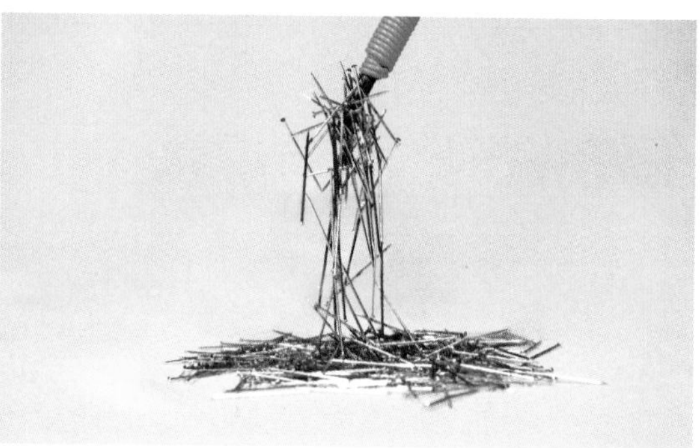

电磁铁磁力大小与线圈圈数关系实验记录表

线圈的圈数	吸大头针数量（个）				磁力大小排序
	第1次	第2次	第3次	平均数	

分析实验数据，这些数据说明了什么？

我们的发现：____

____

4 电磁铁的磁力（二）

回忆我们作出的假设，回忆检验电磁铁磁力大小与线圈圈数关系的方法。
看看准备的材料，我们还能检验哪些假设？
一个小组选择一个假设进行检验，全班检验多个假设。

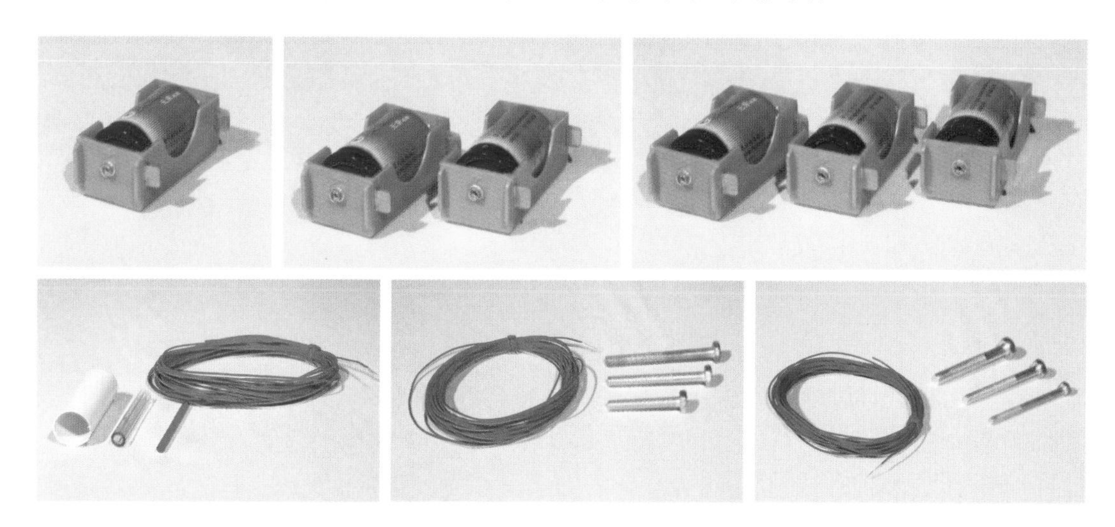

小组检验所选择的假设

● 制订小组研究计划。

检验电磁铁磁力大小与______________关系的研究计划

研究的问题			
我们的假设			
检验的因素 （改变的条件）			
怎样改变 这个条件	1.	2.	3.
实验要保持 哪些条件不变			

对于各自检验的假设，讨论怎样设计实验。

我们要检验的因素（即需要改变的条件）是什么？怎样改变这个条件？

为了实验的公平，应当控制不变的条件有哪些？准备怎样控制这些条件？

- 交流小组的研究计划。

要听取别人的意见，修改完善我们的研究计划。

对于其他小组的研究计划，我们要提出一些问题或建议，帮助他们把计划订得更好。

提示

不要长时间接通电磁铁。

- 各小组实施自己的研究计划。

1. 明确小组成员分工，按计划实验并做好实验记录。

电磁铁磁力大小与____________关系的实验记录表

	吸大头针数量（个）				磁力大小排序
	第1次	第2次	第3次	平均数	

2. 准备小组的汇报发言：

我们在检验中改变的条件是什么，实验前的假设是什么。

我们是怎样改变要改变的条件的，怎样控制不变的条件的。

实验取得的数据是什么，数据能说明什么或不能说明什么。

我们的发现：________________________________

____

汇报交流，共享研究成果

现在，让我们像科学家那样交流和讨论我们的研究成果。

把我们的数据表展示给大家看，汇报我们小组的研究结果。

认真听取其他小组的汇报，记下他们的研究成果。

认真听取老师的补充讲解。

总结我们这两课的研究成果。电磁铁的磁力大小与哪些因素有关，有怎样的关系？

把我们的研究成果记录下来。

我们共同的研究成果：

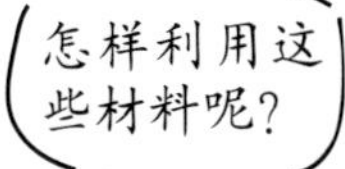

设计制作一个强磁力电磁铁

用我们共同获得的研究成果设计制作一个磁力很强的电磁铁吧。

我们从哪几方面来增强电磁铁的磁力？容易做到吗？

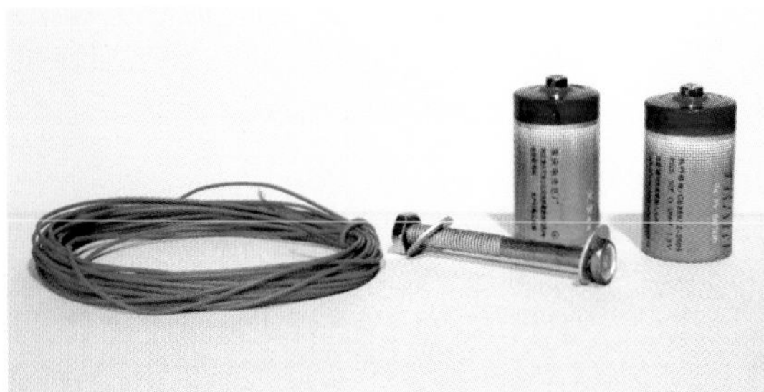

看看下面这个强磁力电磁铁，我们也是可以做出来的。

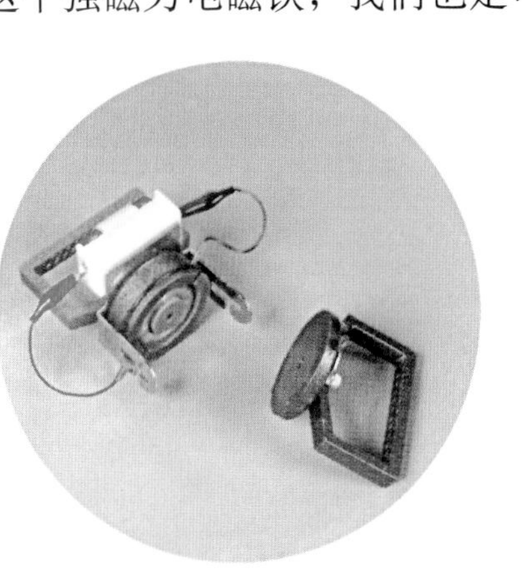

5 神奇的小电动机

在电动玩具车里有小电动机，是它驱动小车前进的。

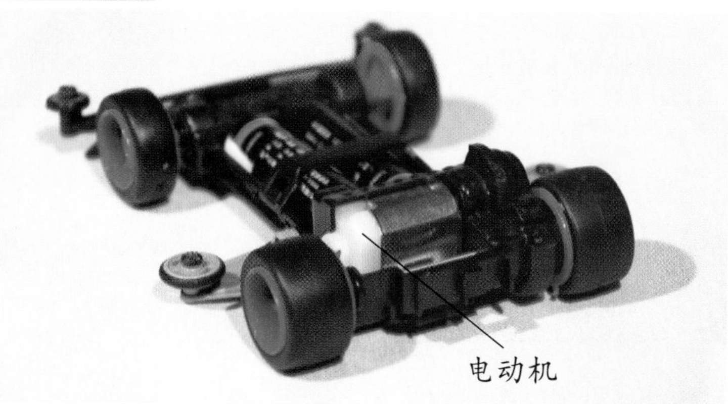

给一个小电动机通上电流，观察它怎样转动。

小电动机里面有什么

观察拆开的小电动机，它有几个部分？各部分有什么部件？

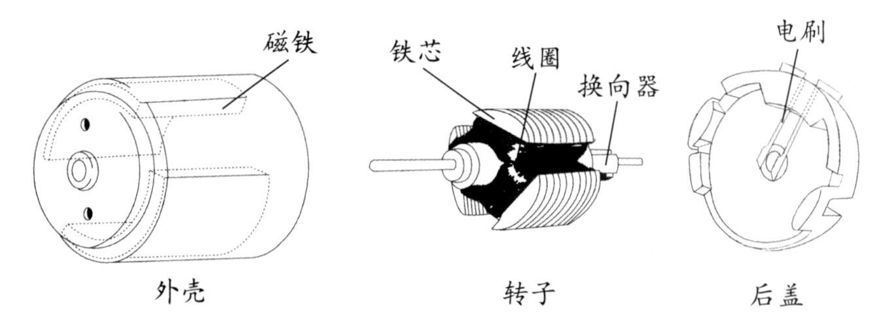

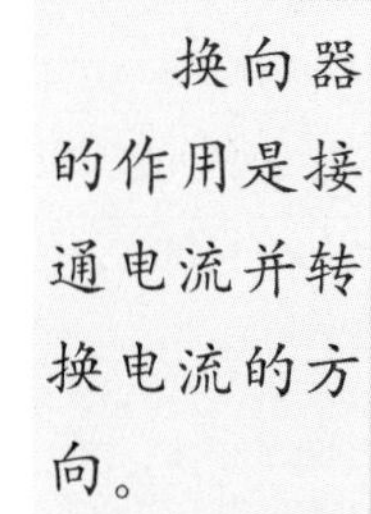

换向器的作用是接通电流并转换电流的方向。

小电动机在转动的过程中，电刷依次接触换向器的三个金属环，通过转子线圈的电流方向就会自动改变。

看到线圈绕在铁芯上，我们会联想到电磁铁，怎样验证我们的猜想？

观察电流是沿着怎样的线路流过线圈的。阅读资料，对照小电动机了解换向器的作用。

小电动机转动的秘密

● 猜想小电动机为什么会转动。

小电动机转动是各个部件共同工作的结果，这三部分是怎样组合在一起的？

转子转动肯定与力的作用有关，外壳上的磁铁与转子电磁铁会怎样相互作用？

● 检验我们的猜想。

1. 安装支架和电路。

在倒扣的杯子上套两根橡皮筋。

把一个铁丝支架插进橡皮圈，安装在杯子上。

把两根电线用胶带缠在一起，一端线头分开成“V”字形，另一端插入橡筋圈固定。

把电线与电池、开关连接起来。

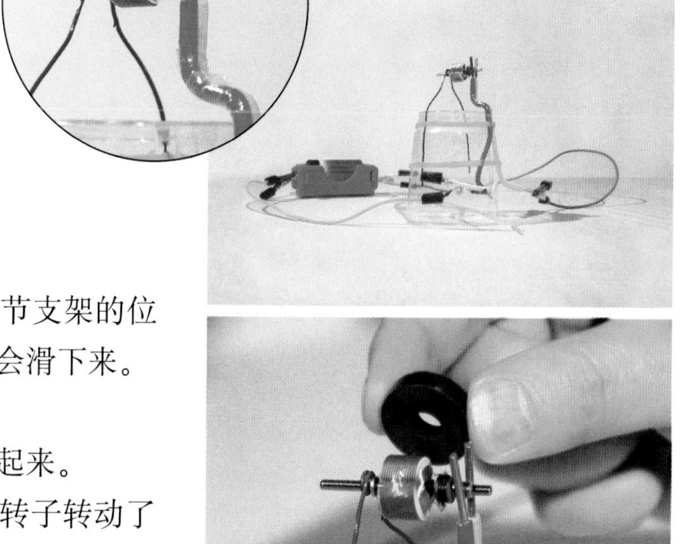

2. 安放转子。

把转子放在支架上。调节支架的位置，使得转子能够转动而不会滑下来。

3. 让小电动机转子转动起来。

给转子线圈通上电流，转子转动了吗？还要怎么做转子才能转动起来？

4. 改变小电动机转子的转动状态。

试一试，用两个磁铁会使转子转得更快吗？

转动快慢与磁铁离转子的远近有关吗？

怎样改变转子转动的方向？

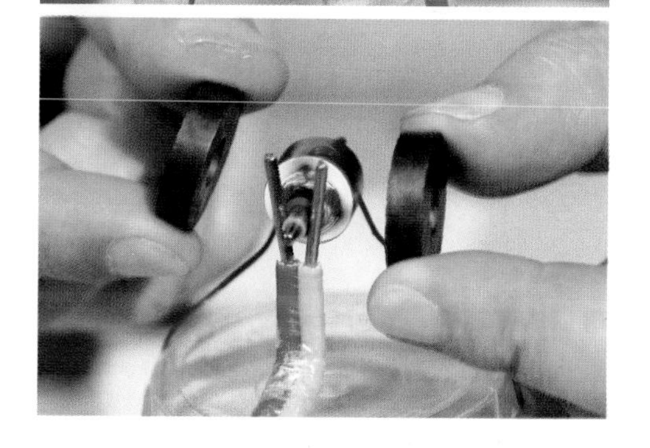

我们知道在哪些地方用到了电动机？

电动机是用电产生动力的机器。它们虽然大小悬殊、构造各异，但工作的基本原理相同：用电产生磁，利用磁的相互作用转动。

6 电能和能量

不同的用电器可以做不同的事情。下面的用电器在做什么事情?

电能和其他能量

用电器有了电就可以进行各种“工作”——做各种运动或者发光、发声、发热……我们把电具有的这种能量，叫电能。

能量还有其他的形式，如热能、光能、声能……这些能量可以做些什么“工作”呢?

蒸汽机车

声音的能量可以控制电路的通断，使电灯亮或灭。

激光有很大的能量，强激光可以打孔或切割材料。

哪些物体“悄悄”地储存着能量？

我们身体运动的能量是从哪里来的？

不同能量的转化

● 电能转化成了什么？

我们家里有哪些家用电器？可以做什么工作？工作时把电能变成了什么能量形式？调查后把它们记录在下面的表格里。

家用电器的调查

<table>
<tr><th>用电器名称</th><th>可以做的工作</th><th>输入的
能量形式</th><th>输出的
能量形式</th></tr>
<tr><td>电灯</td><td>照明</td><td rowspan="6">电能</td><td>光、热</td></tr>
<tr><td></td><td></td><td></td></tr>
<tr><td></td><td></td><td></td></tr>
<tr><td></td><td></td><td></td></tr>
<tr><td></td><td></td><td></td></tr>
<tr><td></td><td></td><td></td></tr>
</table>

能量有电能、热能、光能、声能等不同的形式。运动的物体也有能量，叫动能。能量还储存在燃料、食物和一些化学物质中，叫化学能。

任何物体工作都需要能量。如果没有能量，自然界就不会有运动和变化，也不会有生命了。

所有的用电器都是一个电能的转化器，能够把输入的电能转化成其他形式的能。

人们利用电方便地得到动力，得到光、热、声和磁……通过电能与其他能量之间奇妙的转化，使得我们的生产、生活变得越来越方便。

●其他能量之间可以互相转化吗？

用两手互相摩擦，我们有什么感觉？反复弯折一段铁丝，摸一摸铁丝，有什么感觉？在这些过程中，能量是怎样转化的？

我们还能举出哪些能量转化的例子？

看下面的图，说说能量是怎样转化的？

7 电能从哪里来

电的用途广泛、使用方便，人们的生活越来越离不开电。我们使用的电是从哪里来的？

各种各样的电池

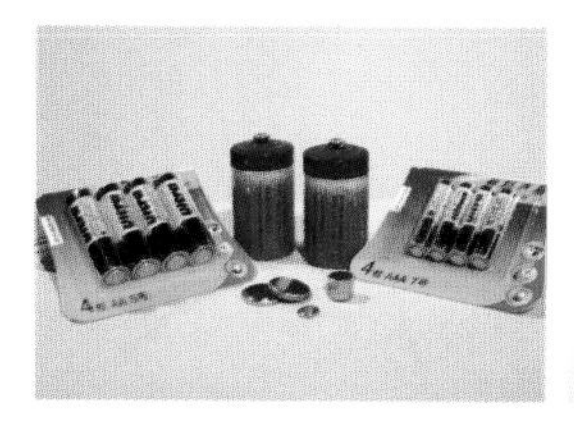

蓄电池要充电呀。

我们认识这些电池吗？它们有什么相同和不同？它们是把什么能量转化成电能的？

我们还可以怎样得到电能？

我们来发电

用手摇发电机可以发出电来点亮小灯泡。

如果转动小电动机，能发出电来吗？能点亮小灯泡吗？

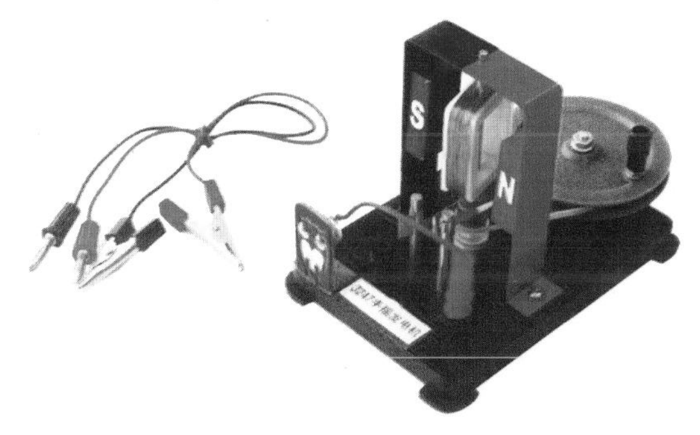

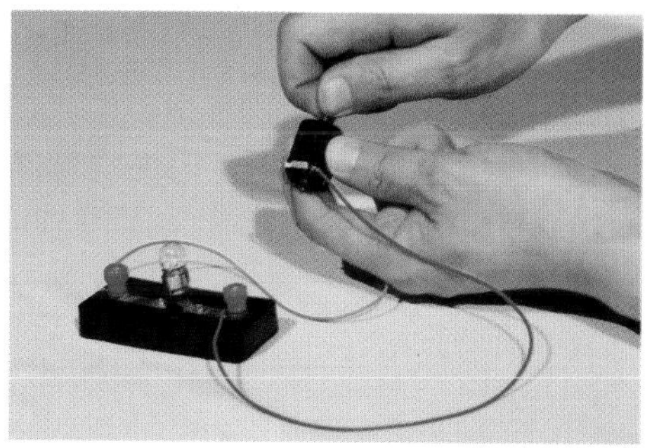

小灯泡没有亮就是没有发出电来吗？还可以怎样检测是不是发出了电？

可以用我们的“电流检测器”来检测一下。

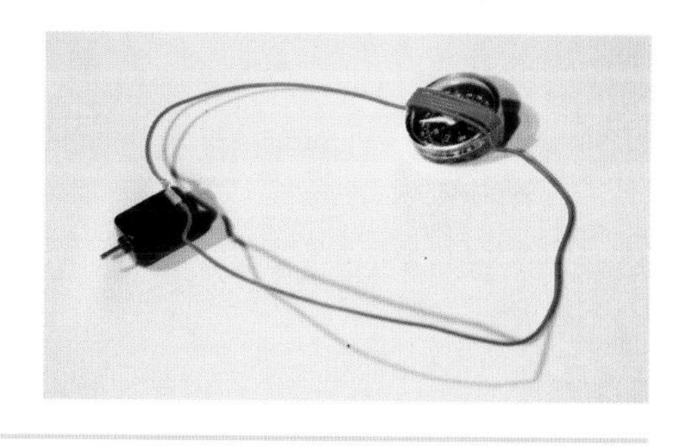

提示

检测时，磁针要远离小电动机，因为小电动机里有磁铁。

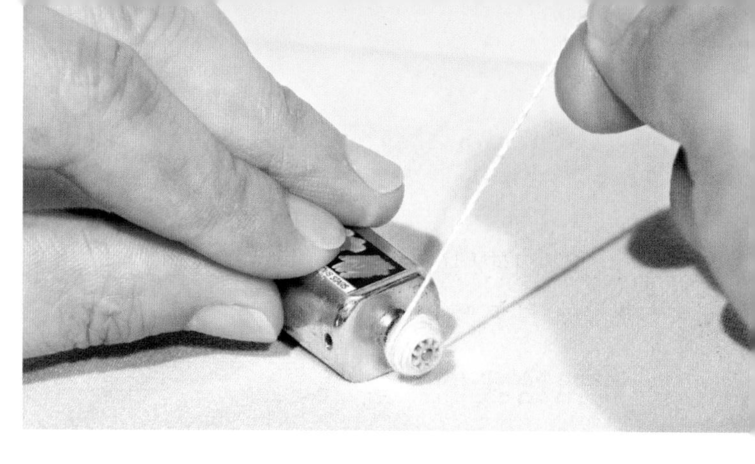

我们有什么办法使小电动机转得快一些呢？

当电动机被用来发电时，就应该叫它发电机了。

如果有台很大的发电机，我们有哪些方法可以使发电机转动呢？

发电站的电是从哪里来的

发明了发电机后，人们就能够把其他不同形式的能量大规模地转化成电能了。

现在可以用哪些方法发电？能量是怎样转化的？查阅资料后，把结果记录在下面的表格中。

电能的来源和转化

<table>
<tr><th>电能的来源</th><th>转化的能量</th><th>输出的能量形式</th></tr>
<tr><td>普通电池</td><td>化学能</td><td rowspan="5">电能</td></tr>
<tr><td>光电池</td><td>光能</td></tr>
<tr><td></td><td></td></tr>
<tr><td></td><td></td></tr>
<tr><td></td><td></td></tr>
</table>

想象一下，在长江三峡电站里，滚滚的长江水推动了大型发电机飞转，转瞬之间，巨大的电能输送到了千里之外的城市、农村，千千万万盏电灯亮了，成千上万的电动机转了，各种使用电能工作的机器都工作起来了……

这些能量原本都是长江流水的能量呀，能量的转化真是很奇妙！

8 能量与太阳

在我们使用的能量中，煤、石油、天然气是重要的能源。它们为什么深藏在地下，是怎么形成的？

煤带给我们的信息

- 我们常常能在煤块上看到植物枝、叶的痕迹，在有的煤层中甚至还发现了具有完整树干形状的煤。
- 埋藏的煤大多夹在岩层中，这些岩层都是古代沉积的泥沙变成的。
- 煤埋藏在地下是一层一层的。

……

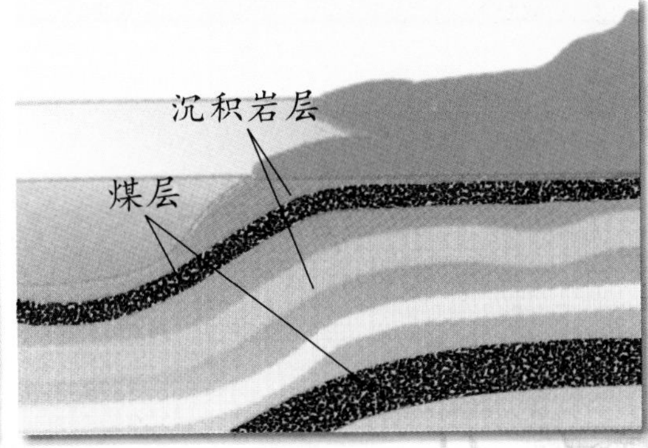

分析煤带给我们的信息，对煤的形成可以作出怎样的推测？

科学家研究证实，2亿～3亿年前，地球上气候温暖，雨量充足，植物生长非常繁茂。

存储了亿万年的太阳能

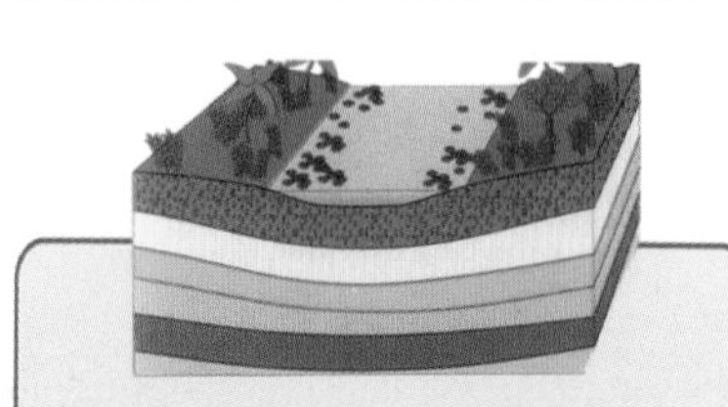

亿万年前，地球上生长着大片的森林。在湖泊、沼泽等低洼地区，植物生生死死，大量堆积，渐渐被泥沙掩埋。

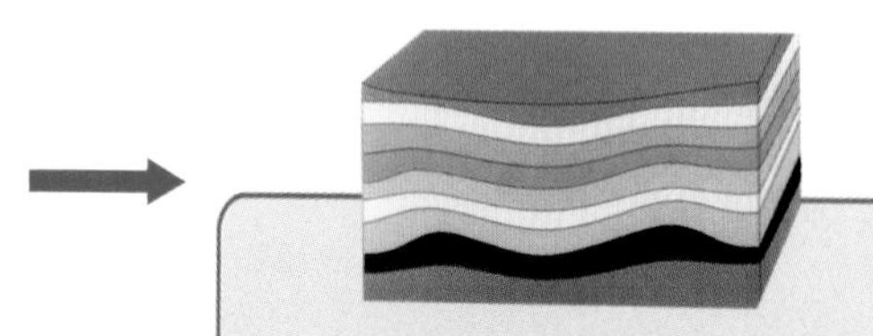

随着时间的推移，更多的泥土沙石堆积，植物被埋得越来越深，与空气隔绝。在长时期的压力、高温的共同作用下，植物慢慢变成了煤。

根据不少证据知道，石油、天然气也与煤相类似，是几亿年前大量的低等生物经过长期、复杂的变化形成的。

煤、石油、天然气所具有的能量是从哪里来的？它们与太阳能有什么关系？

我们使用的能量还有哪些与太阳能有关系？

节约能源，寻找新能源

煤、石油、天然气会不会用完呢？当然会的。它们是不可再生的能源，用一点就少一点，我们正在耗尽这些能源。

可以怎样节约能源？我们知道哪些新能源的信息？

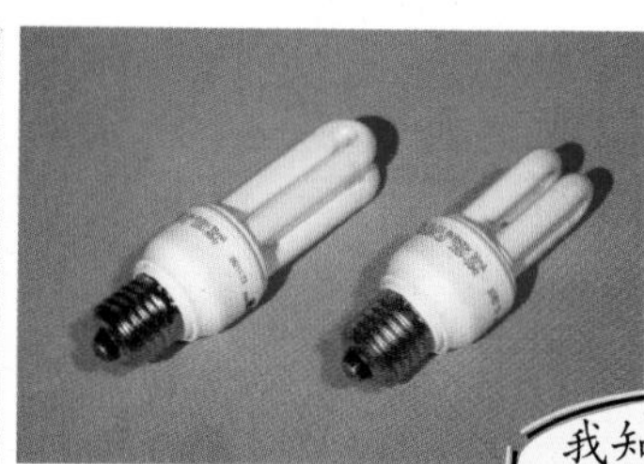

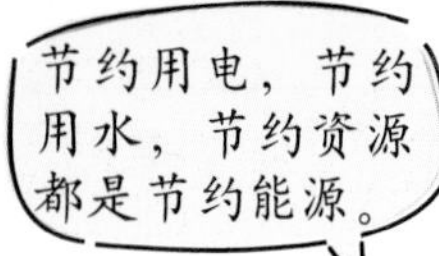

节约用电，节约用水，节约资源都是节约能源。

农村用的沼气，是永远用不完的“天然气”。

我知道可以利用温泉发电，叫地热电站。还可以用核能发电。
人类正在大力发展风力、水力和太阳能发电。

资料库

电和磁见面了

在古代，人们把电和磁一直当作是两种互不相关的现象。

有一位丹麦物理学家，叫奥斯特，他从1806年起任哥本哈根大学物理教授，第二年他就开始研究电与磁之间的关系，因为他和一些人都相信电与磁之间可能存在着某种联系。研究持续了十几年，仍没有获得科学证据。

那是1820年的春天，有一天讲课，他像往常一样给学生做示范实验。当他把电池放在讲台上，用一根白金丝把电池两极连起来时，他突然发现无意中放在旁边的磁针转动了。

“啊——”他的神经像被猛刺了一下。只有长期思考着的神经才会有这种感觉。他连忙再重复一次，一点也不错，磁针确实是转动了。下课了，学生们散去了，奥斯特仍独自留在教室里激动着。难道长期梦寐以求的电磁关系就这样偶然得到结果了？

科学必须考虑一切可能的情况。偶然的发现有可能是偶然的因素起作用，必须要排除一切其他因素的影响。奥斯特冷静下来。他首先想到可能是由于电流使白金丝发热，空气流动使磁针转动了。他用一块纸板放在白金丝和磁针之间，这样就可以隔开可能产生的气流了。实验结果，磁针仍然转动了，这就否定了空气流动的作用。他又把电池调个头，使白金丝中的电流向相反的方向流动，情况又将会怎样呢？结果，磁针向相反的方向转动了。这使他确信了，磁针与电流之间确有着相互作用，而且磁针的指向与电流的方向有关。

这以后，他又进行了三个月反复的实验和研究，终于在1820年7月21日写成了论文。论文指出："导体中的电流在导体周围产生了一个环形磁场，从而使磁针偏转；反过来，磁体也能使通有电流的导线发生偏转。"这就从两方面证实了电与磁之间有密切联系了。这年末，奥斯特的论文在当时著名的法国科学杂志《化学与物理学年鉴》上发表了。

奥斯特用无可怀疑的实验研究奠定了"电磁学"的基础。科学史上，把1820年确定为电磁学诞生的一年。为了纪念物理学家奥斯特，电磁学中"磁场强度"的单位以"奥斯特"命名，简称"奥"。

用电磁铁来记录信息

我们常常听说"录音磁带""录像磁带"，名字里面都带一个"磁"字，它们跟磁有什么关系？

它们不但和磁有关，还与电磁铁有关。拿录音机来说吧，当你对着话筒讲话时，声音的振动被话筒转化为一种电流，它随着声音的变化而变化，并通过录音机里的录音磁头（电磁铁）产生强弱变化的磁性。

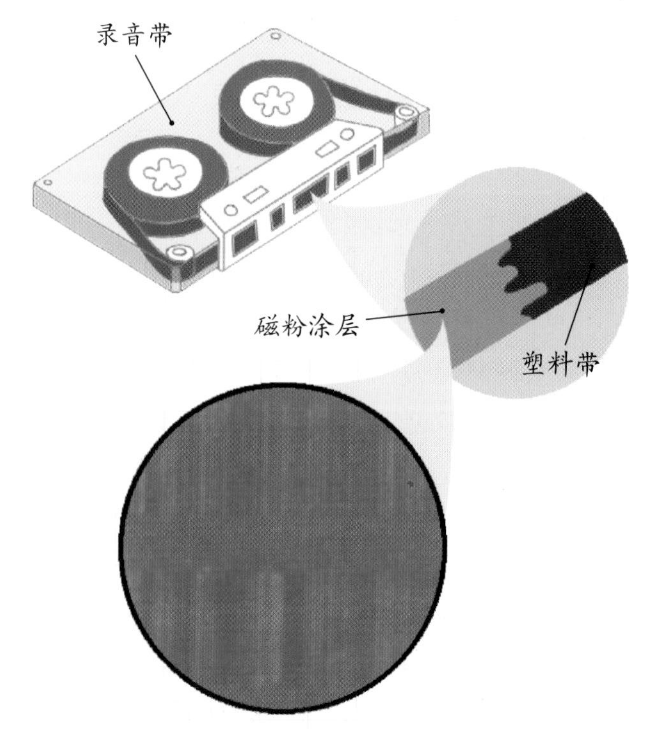

磁带上的磁记录

录音带是塑料做的，上面涂有一层薄薄的磁性粉末。当录音带经过电磁铁时，磁粉被磁化，磁化程度随电流的变化而变化，你的声音就这样被磁记录了下来。当你再放磁带时，反过来，磁又转化成电，电又转化成声音。

同样，电磁铁还用在录像磁带上记录图像和声音。

生物的多样性

地球上到底有多少种生物？你想知道，我也想知道。但是没有人能告诉我们这个问题的准确答案。到目前为止，已经发现并命名的动物种类超过了300万种、植物种类超过了38万种。这个数字足以让我们惊讶生物种类的多种多样。

人类是这个丰富多彩的生物大家庭中的一员，怎样认识这个大家庭的不同成员？为什么这个大家庭成员如此众多？我们怎样当好大家庭中的一员？让我们走进生物世界去观察和研究吧。

1 校园生物大搜索

我们已经研究过校园里的大树和一些小动物。我们还认识校园里的哪些植物和动物？我们知道校园里有多少种植物，多少种动物？

认识常见的植物和动物

在我们的校园里，有这些植物、动物吗？

在我们的校园里，还有哪些植物和动物？

校园里有好几种不同的小草，但是我叫不出名称。

三年级时，我们把不认识的小虫子叫做“不知名的小虫”。现在可以把不认识的动植物画下来或拍成照片，再编上号。

调查校园中的动植物

科学家常常要对一个区域的动植物种类和分布情况进行调查。我们的校园是一个很小的区域，让我们也像科学家那样进行调查，弄清校园中动植物种类和分布情况吧。

调查校园中的动植物要注意些什么？

找生活在地下的小动物要带上小铲。最好带上放大镜。

我们还可以从脚印、粪便、毛等踪迹推知躲藏起来的动物。经常飞来的鸟也应该记下来啊！
不要采摘植物和伤害动物！

我们组开始大搜索吧！

提示

边调查边记录，尽量不要漏掉校园中的每一种动植物。

校园植物记录表

植物名称	生长地点

校园动物记录表

动物名称	经常活动的地点

2 校园生物分布图

各小组调查的结果怎样？现在来交流和汇集我们的调查资料。

交流汇集我们的调查结果

我们小组在校园里搜索到哪些植物和动物？一共有多少种植物和动物？它们各自生活在什么地方？

对不知名的小动物，我们应当详细描述它的样子，说明在哪里找到的。
我们搜索到的植物有树、花、草，一共有32种，动物有……

把各小组的调查结果汇集成一个全班的调查表。

现在我们来回答：校园里有哪些植物和动物？一共有多少种植物和动物？它们各自生活在什么地方？

动物、植物在一年四季会有所不同。我们长期观察，肯定还会发现新的校园生物。
我们会不会遗漏了一些校园生物？

制作校园生物分布图

校园里的动植物种类很多，生活的环境也各不相同。我们共同来制作一幅校园生物分布图，展现校园生物大家庭。

制作中还会遇到一些问题，大家想办法来解决。

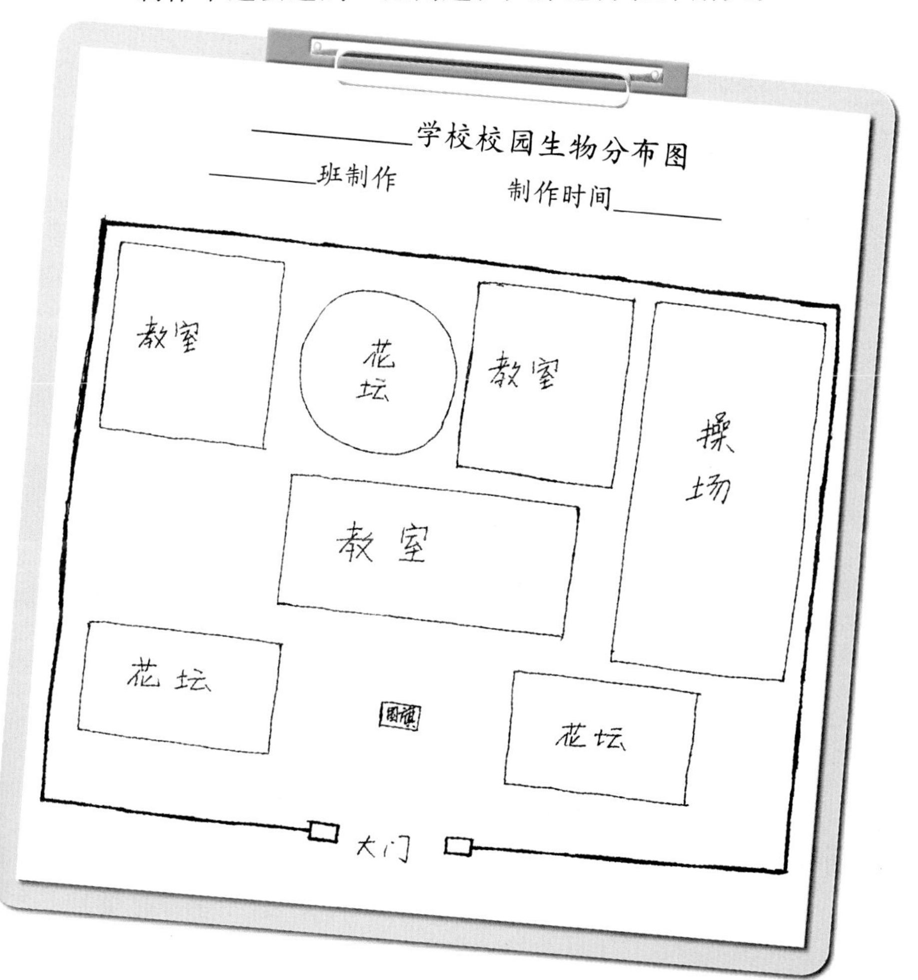

观察校园生物分布图，我们发现校园哪些地方的生物种类较多？

如果将我们调查的范围扩大，生物种类的数量会发生什么变化？

中国稀有植物、动物的分布

我国的生物种类非常丰富。下面是我国的几种珍稀生物，我们认识这些珍稀生物吗？它们各自生活在我国的什么地方？

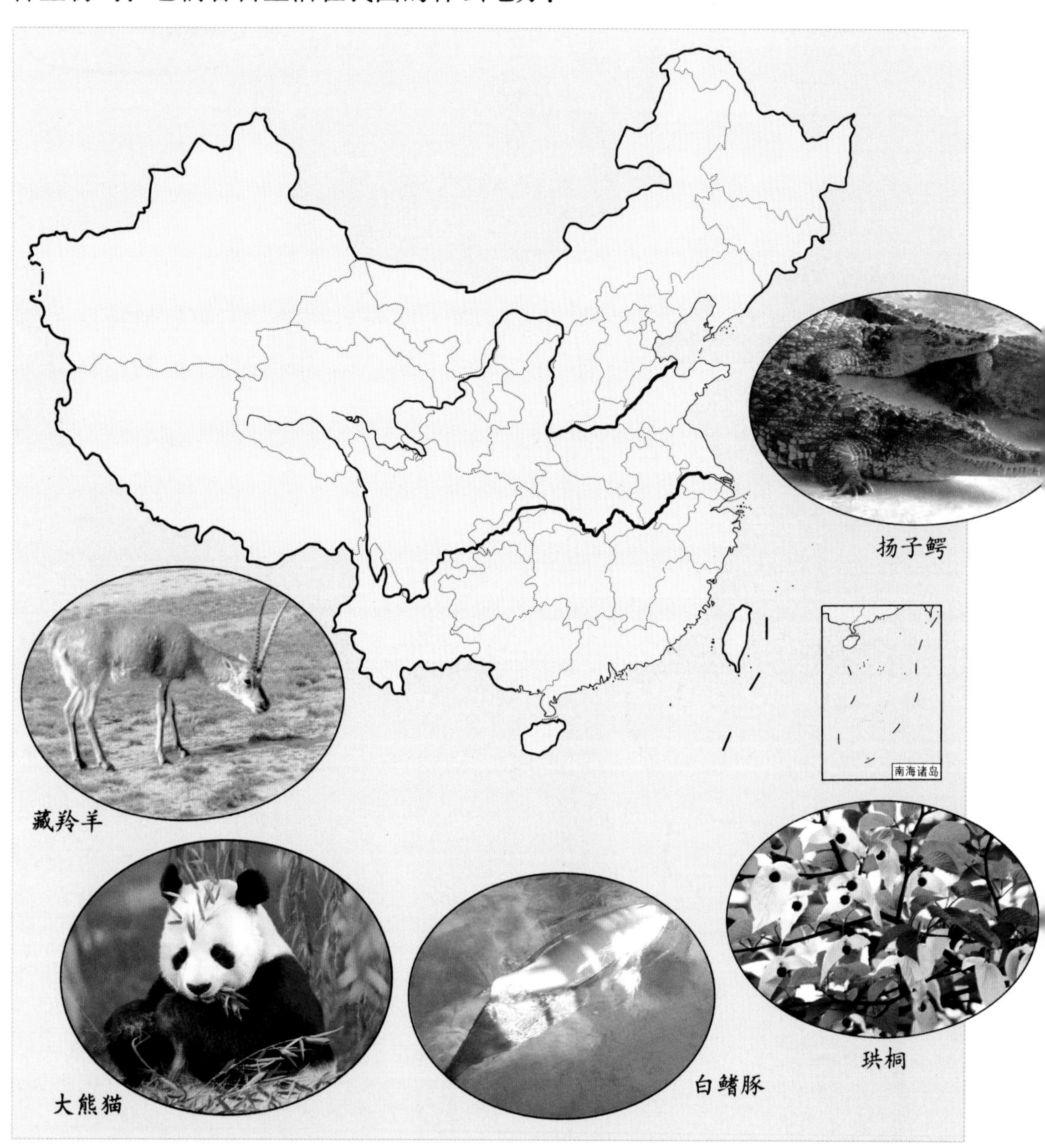

我们还知道我国的哪些珍稀生物，它们分别生活在哪里？在上面地图中标注出来。

查阅资料，了解世界珍稀动植物和它们分布的地方。

3 多种多样的植物

除了校园里有的植物种类，我们还知道哪些常见的植物？

公园里植物很多，我们可以去调查一下。
花卉市场、农贸市场里植物种类也够多的，也可以去统计一下。

给植物分类

用分类的方法可以帮助我们更好地辨别和研究植物。让我们自己确定标准给下面的植物分一分类。

荷花玉兰

海　桐

凤仙花

牛筋草

小叶女贞

苦苣菜

葱　兰

小叶黄杨

雪　松

荷　花

圆　柏

可以分为木本植物和草本植物，或者分为水生植物和陆生植物……

我们一共找到多少种分类的方法？每一种类别下，我们还能确定新的标准，将它们再进行分类吗？

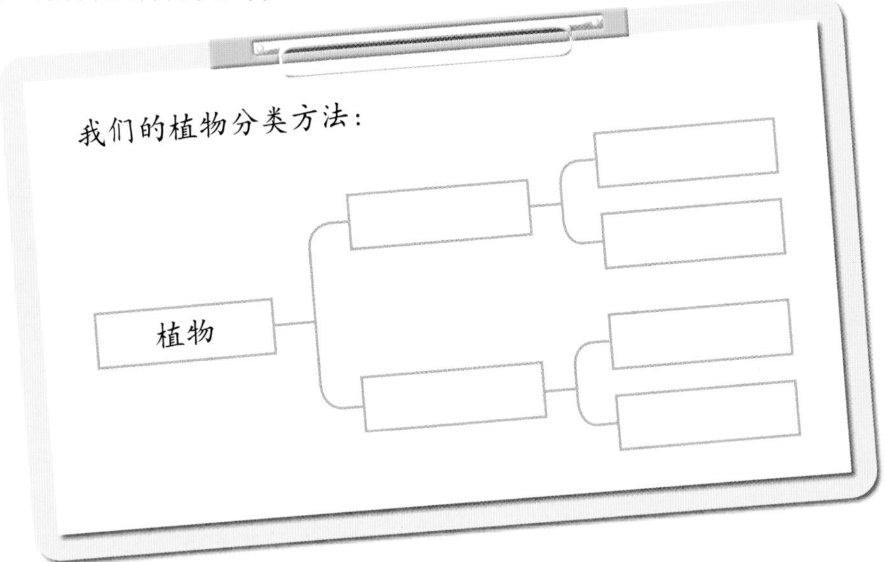

科学家主要是根据植物的特征对植物进行分类的。例如，他们根据植物有没有花把植物分成了两大类：开花的植物和不开花的植物。

举出一些自己认识的开花植物，它们的身体是由哪几部分组成的？

观察不开花的植物

我们仔细观察，看看这些不开花的植物有哪些特点。

在植物王国中，已发现的种类有30多万种，开花的植物约占一半以上。

在不开花的植物中，蕨类、藻类、苔藓类和开花的植物一样，自己进行光合作用制造养料。

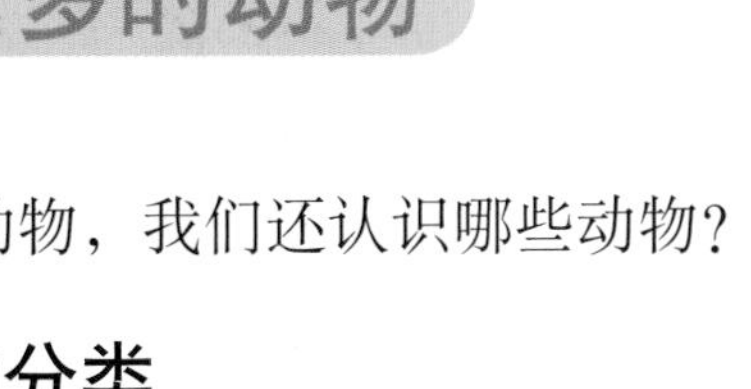

4 种类繁多的动物

除了校园里的动物，我们还认识哪些动物？

给常见的动物分类

分类是研究动物的一种基本方法。我们有多少种方法对动物进行分类？

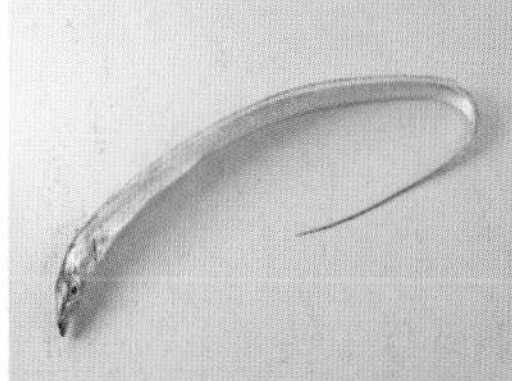

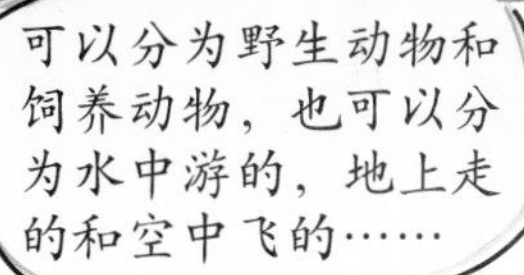

可以分为野生动物和饲养动物，也可以分为水中游的，地上走的和空中飞的……

比较动物的骨骼

科学家根据动物骨骼的特征将动物分为两大类。

观察比较鸽子、狗、鲤鱼的骨骼有什么共同特征。摸一摸，人的骨骼有这样的特征吗？

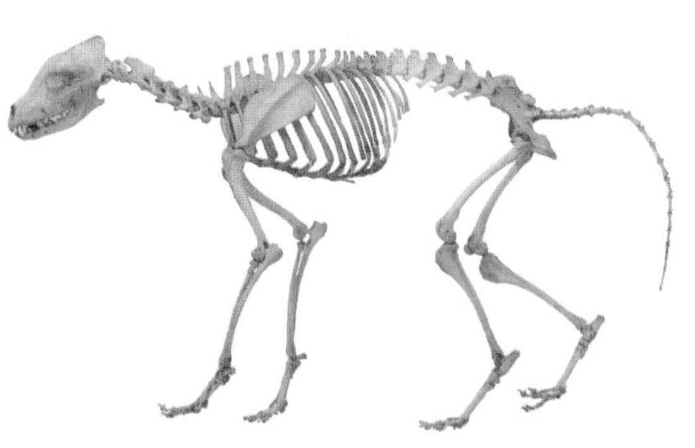

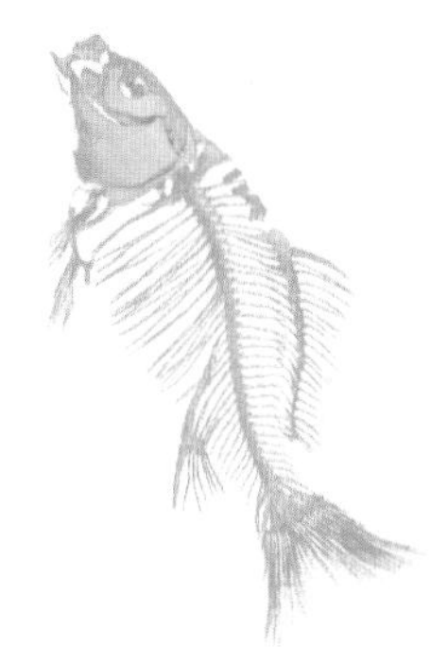

身体中有脊柱的动物叫脊椎动物，没有脊柱的动物叫无脊椎动物。

给各类动物增添成员

像蚂蚁、蝗虫、蜜蜂那样，身体上有三对足的动物是昆虫类。

像金鱼、鲤鱼那样，终生在水中生活，用鳃呼吸的动物是鱼类。

身体上长羽毛的动物是鸟类。

直接生小动物，并用乳汁喂养小动物的是哺乳动物。

动物的身体构造和生命活动特征是科学家对动物进行分类的重要标准。根据左边各类动物的分类标准，我们能给各类动物增加哪些成员？

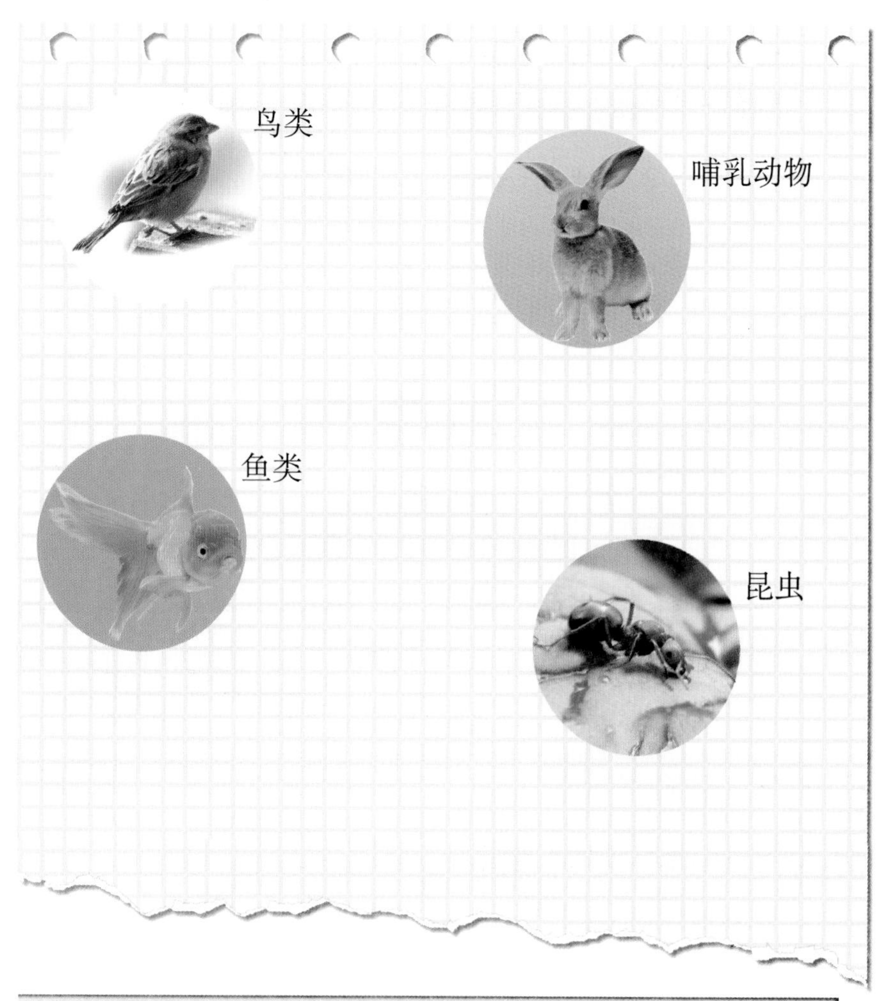

科学家把动物分成脊椎动物和无脊椎动物两大类。脊椎动物是动物身体中长有脊柱，构造比较复杂的一类，它又可以分为鱼类、鸟类、哺乳类……

动物种类真是繁多呵！

5 相貌各异的我们

如果让我们在班级中找出某一位同学，我们会毫不费力地做到这件事。我们想过这是为什么吗？

观察我们的不同

小组内观察我们的相貌有什么相同和不同？

选择1～2种相貌特征仔细观察，将每个人的样子画下来。

比较每个人的同一相貌特征，我们有什么发现？

做一次班级相貌普查

将我们的调查范围扩大到全班同学，观察比较我们的相貌特征的相同和不同。

与同学合作，对照下图，观察我们的眼皮、前额发际、耳垂、下颌等分别是什么样子的？

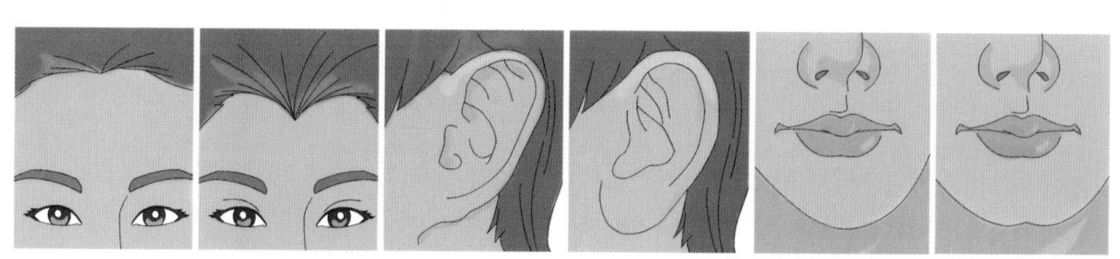

先在小组内调查统计具有每一种性状的人数，再将各小组的调查结果汇总成班级调查统计表。

调查统计表

总人数____

性状	人数	性状	人数
有耳垂		无耳垂	
前额“V”发尖		平发际	
下颌中央有沟		下颌中央没有沟	
卷发		直发	
舌头能向内卷曲		舌头不能向内卷曲	

我们的相貌是唯一的吗

我们的哪些相貌特征相同，哪些不同？如果将两种相貌特征组合起来，会有多少种相貌不同的人呢？

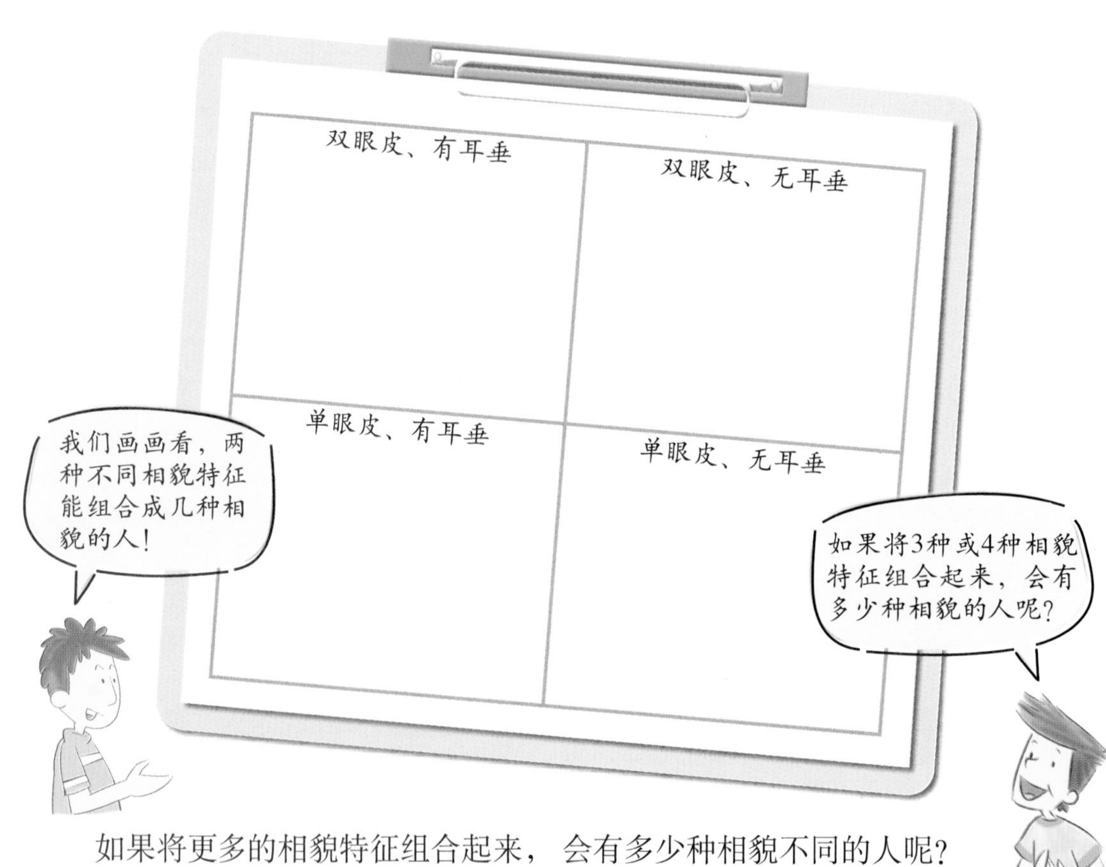
双眼皮、有耳垂
双眼皮、无耳垂
单眼皮、有耳垂
单眼皮、无耳垂
我们画画看，两种不同相貌特征能组合成几种相貌的人！
如果将3种或4种相貌特征组合起来，会有多少种相貌的人呢？

如果将更多的相貌特征组合起来，会有多少种相貌不同的人呢？我们班级里能找到两个相貌完全相同的人吗？

6 原来是相互关联的

我们知道许多生物都有特殊的形态结构，骆驼的驼峰、鸟类的翅膀、仙人掌退化成刺的叶子……这些特殊结构，使得生命世界更加丰富多彩。是什么使得它们与众不同呢？

不同环境中的植物

采集一些生活在水中的植物和一些生活在陆地上的植物，观察比较它们的根有什么不同？

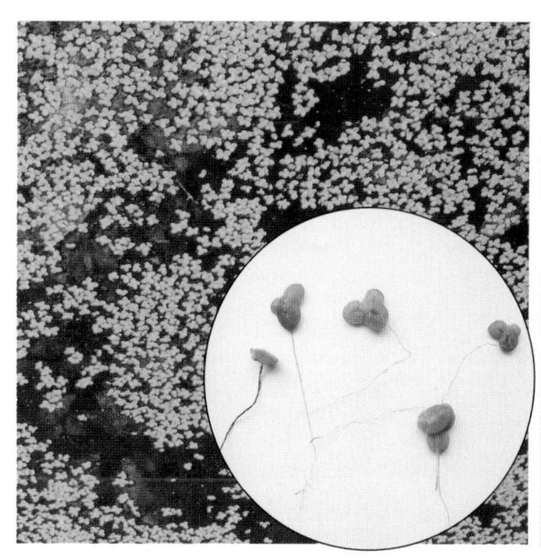

浮萍

玉米根系

小草

观察生活在不同地方的陆生植物，比较它们的叶子有什么不同？

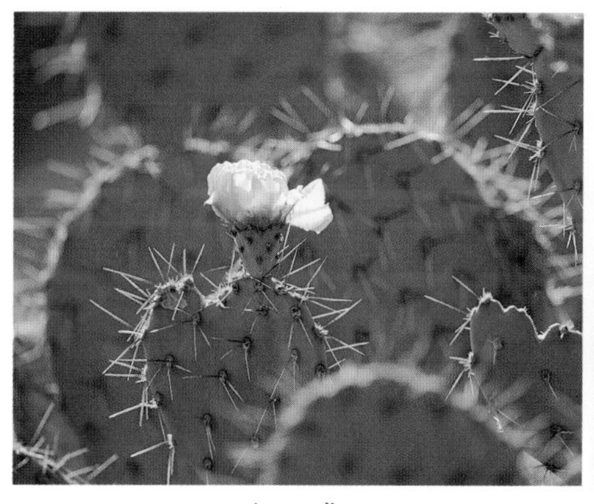

仙人掌

松树

香蕉树

我们还能说出哪些植物的特殊形态结构？

它们为什么会有这些不同的形态结构呢？

不同环境中的动物

在不同环境中生活的动物，也有明显不同的形态结构。

观察生活在水里和在空中飞行的动物，比较它们的身体特征有什么相同和不同？

我们可以画出金鱼和鸽子不同的身体特征。

分别写出金鱼和鸽子与它们的生活环境相适应的身体形态结构特征。这些特征对它们有什么意义呢？

动物名称	生活环境	身体形态结构特征	我猜想的功能
金鱼			
鸽子			

想办法证明我们的推测是否正确。

我们查找有关羽毛的资料，看看我们的推测是否正确？
我们设计实验研究鱼鳍的作用！
做个模拟实验，研究鱼的这种体形是不是比其他形状在水中前进得更快？

提示

1. 选择的材料要不易被水浸湿。
2. 用纸折的鱼的大小不要相差太多。
3. 要尽量用同样大小的力推动它们。
4. 注意观察谁前进的最远。

植物和动物所具有的形态结构，使它们与生活环境相适应。

它们与什么环境相关联

苍耳

莲子

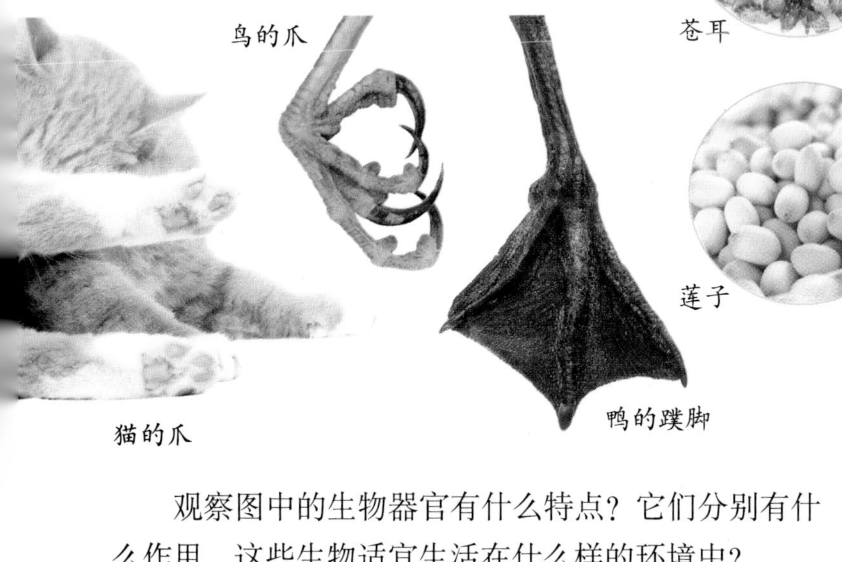

鸟的爪

猫的爪

鸭的蹼脚

蒲公英

观察图中的生物器官有什么特点？它们分别有什么作用，这些生物适宜生活在什么样的环境中？

7 谁选择了它们

曾经称霸地球的恐龙家族消亡了，而同一时代的小小的螳螂却仍然生活在这个地球上。是什么决定着地球生物的命运呢？

青蛙的去与留

将我们想象的生活环境用彩笔画在相应的图中。

观察图中的两只青蛙，它们可能生活在什么样的环境中？

分析图中提供的资料，和同学交流自己的看法。

为什么不同地方青蛙的颜色不同呢？

如同猫妈妈和猫爸爸生出不同花色的小猫一样，青蛙的后代体色也是不同的。在田野中，绿色青蛙因为有好的伪装而被保留下来，其他颜色的青蛙因为过于显眼而被猎食者吃掉。环境变化，绿草枯死，田野变成了沙漠，绿色青蛙在黄色的沙地上异常显眼，很容易被猎食者发现。这样，后代中的黄色青蛙就被保留下来，以后这里的青蛙也就成为以黄色为主的青蛙了。

大自然选择了它们

它们的体
形不同
它们的耳朵
大小不同。

观察图中不同环境中生活的狐狸，比较它们有什么不同的特征？

我们能推测这三种狐狸生活的环境有什么不同吗？

三种狐狸生活在不同的环境中，可能的原因是什么？

红狐

灰狐

查阅资料，看看是
否能找到一种比较
合理的解释。

北极狐

北极狐这样圆而
大的体形真的降
温慢吗？
做个模拟
实验吧！

> 生物学家对不同地方的生物个体进行比较时，发现了一个非常有趣的现象，即同一种生物，愈冷的地方，个体就愈大，身体愈接近圆形；并且鼻子、耳朵、腿等暴露在外部的器官就越小。

> 选择2个大小不同的球形烧瓶，1个与大烧瓶体积相近的细而长的玻璃瓶，3支温度计。
>
> 在3个容器内同时放入同样温度的热水。
>
> 用温度计测量，观察哪个容器的水温降得慢。

选择改变着生物

从38亿年前，地球上出现简单生命体开始，到现在丰富多彩的生命世界，地球环境变化是重要原因。人类对于生物生存环境的改变和对一些动物的驯化也起到了重要作用。

金鱼

收集自然选择或人工选择改变生物特征的资料，在班级中进行交流。

8 生物多样性的意义

地球是我们美丽的家园，各种各样的生物，在这个家园中都扮演着不同的角色，它们相互依存，相互作用，相互影响着。

生物多样性与我们

一天中，我们会做哪些事情？其中有多少是与生物有关的？将我们调查的结果记录下来。

生物的多样性是人类生存与发展的基础。我们分主题收集资料阐明这一观点。

我们调查植物！
每种生物都与人类生活息息相关，我们调查动物吧！
我们以“生物多样性与健康”为题写一篇小文章。
还有具有经济价值的生物呢！
多样的生物对我们人类有不同的价值，我们调查具有药用价值的生物。
生物有的具有欣赏价值和科学价值。
我写“生物多样性与我的家”。

将我们的成果展示出来。

人与动物的关系：

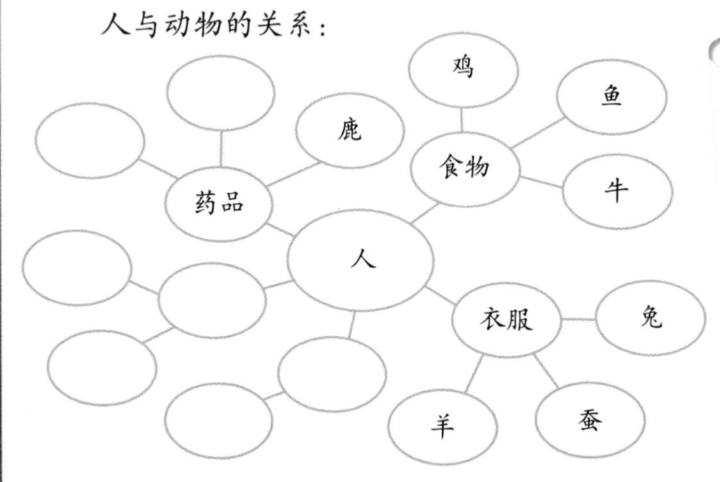

人类生活离不开植物

1. 提供给人类做食物；
2. 供人类欣赏；
3. 提供给人类做药材；
4. 人类可以用植物做成生活及学习用品；
5. 可以净化空气；
6. 提供给动物做食物。

如果缺少了生物的多样性，人类生活将会是什么样呢?

生物多样性与其他生物

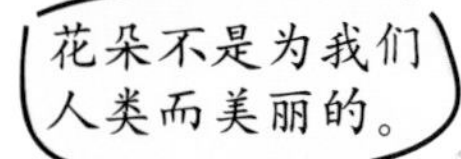

就像人类生活离不开生物的多样性一样，每一种生物也需要生活在生物多样性的环境之中。

我们可以举出许多这样的例子。

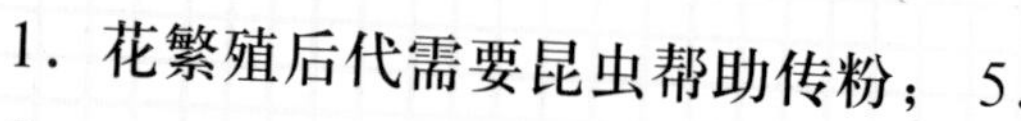

2.
3.
4.
5.
6.
7.
8.

保护生物多样性

保护生物多样性，要从保护家乡生物多样性做起。

调查我们的家乡有哪些珍贵的生物物种。

了解我们周围的人，有过哪些危及其他物种生存的不良行为。

根据家乡实际，写一篇保护家乡生物多样性的倡议书。

人类是生物大家族中的一员，我们理应平等对待家族中的每一个成员。

资料库

生物的多样性

生物多样性指的是地球上生物圈中所有的生物，即动物、植物、微生物，以及它们所拥有的基因和生存环境。它包含三个层次：物种多样性，遗传多样性，生态系统多样性。

中国是地球上生物多样性最丰富的12个国家之一。中国野生物种和生态系统类型多，仅高等植物就有3万多种，脊椎动物6 347种，分别约占世界总数的10%和14%。另外栽培植物和家养动物品种及其野生近缘种数量繁多，超过世界上任何其他国家，如水稻有5万个品种、大豆有两万个品种、药用植物有1万多种，等等。此外，中国特有属、特有种多，科研价值高。中国生物多样性丰富程度在北半球首屈一指。

生存是生物的基本权利

生物生存是自然赋予的权利，而不是人类赋予的权利。生物的生存权利就是生物对维持其生命及生存条件拥有的权利。破坏了它们的生存条件，也就剥夺了它们存在的权利。不仅阳光、空气、水源、地域等构成生物的基本生存条件，而且不同的生物通过食物链、食物网彼此构成基本的相互依存条件，任何生物一旦脱离生物种群或群落便无法存在。每一种生物都对生态系统的平衡与稳定发挥着自己特有的重要作用，都在生态系统的物质循环、能量流动和信息交换中发挥着自己特殊的功能。

袋狼

生活在塔斯马尼亚的有袋类动物。因经常袭击羊群而遭捕杀。1933年以后不见踪迹。

卡罗莱纳长尾鹦鹉

人们垂涎其肉和羽毛或当做果园的害鸟来射杀，1914年灭绝。

我知道

《生物多样性条约》于1993年正式开始实行。

每年的5月22日被称为国际生物多样性日。

全世界已经有180多个国家是《生物多样性条约》的缔约国。

从北极熊想到的

夜里睡得正香，忽然听到枪响，我和妻子都惊醒了，猜想是北极熊来访，早晨起来一看，在门口的雪地上，留下了两行巨大的脚印，甚至连爪子的痕迹都看得清清楚楚。

今年北极熊特别多，在巴罗周围据说有上百头，当然不是同时出现的。北极熊主要吃海豹，特别是环海豹。海豹吃一种专在冰下游动的小鱼。这种小鱼圆滚滚的，脂肪很多，所以海豹很爱吃。至于小鱼吃什么，还没有人去研究。因此，有冰的地方就有小鱼，有小鱼的地方就有海豹，有海豹的地方就有北极熊。

科学家根据化石推断，北极熊大约是在20万年以前，从主要生活在亚洲和北美洲北部的棕熊演化而来的。一种如此巨大的动物，在如此短的时间里就演化成一个新品种，是很值得研究的。

直到现在，亚洲和北美洲的棕熊，还是生活在相当靠北的地方，夏天常常进入北极圈。由此可以猜想，20万年以前，进入北极圈的棕熊，有的发生了变异，毛变成了白色，正好适应于雪的环境，更利于生存。这种变异便遗传了下来，白毛的棕熊愈来愈多。这种白毛的棕熊，绒毛变密变厚，更适应寒冷的环境，因而生存下来了。为了更有效地抵御寒冷，它们的身体越来越大。为了减少热量的散失，它们的耳朵越来越小，四肢越来越短，尾巴几乎消失。就这样，所有这些变异积累起来之后，原来的棕熊就变成了白熊。因为更能适应北极的环境，所以在北极待的时间也就愈来愈长，最后干脆留了下来，不再回到南方去，成了北极永久性居民，与棕熊分道扬镳，这就是我们今天看到的北极熊。这是基因逐渐变异的观点。

还有另外一种可能，就是经常进入北极圈的棕熊，由于环境因素的影响，突然生了一个怪胎，毛是白的，细密而中空；耳朵小而圆；身子长而四肢粗短，看上去圆滚滚的。这个怪胎因为正好适应北极的环境，具有很强的生命力，因而赢得了更多母熊的青睐，便把基因遗传了下来，而且繁衍得很快，变成了一个新种，就是我们今天看到的北极熊。这是基因突然变异的观点。

哪一种观点是对的呢？有待于进一步去验证。

（选自《从自然到人文》，位梦华 著）

蚂蚁的来龙去脉

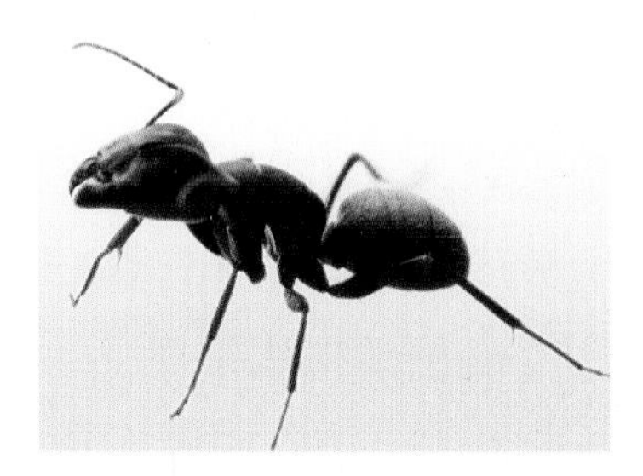

人们对蚂蚁都不在意，因为它们太小了，而且又不碍事。但是，蚂蚁却是迄今为止，地球上所演化出来的最成功的生物之一。

地球上到底有多少种蚂蚁？很难完全搞清楚。现在已经发现的，大约有11 000种。那么，它们的数量有多少呢？有人说，大约是1后面有15个0。蚂蚁的化石很少，因为蚂蚁太小，不容易形成化石。已经发现的最好的蚂蚁化石，是在琥珀里，琥珀是透明的，蚂蚁被封存在里面，往往非常完整，而且是立体的，可以看到蚂蚁的全貌。迄今为止，世界上发现的最早的蚂蚁化石，形成于距今13 800～500万年的白垩纪，保存在一块琥珀里。由此可见，当蚂蚁来到这个世界上的时候，正是恐龙兴旺发达的时期。也就是说，蚂蚁是恐龙灭绝的见证者，它们知道恐龙是怎样从地球上消失的。可惜它们不会说，也没有文字记录，但我们可以想象，当6 500万年以前的那场大灾难突然降临的时候，巨大的恐龙纷纷倒下，小小的蚂蚁却安然无恙，钻进了地洞里。

那么，蚂蚁又是怎样来到地球上的呢？不难看出，蚂蚁的身体形态，灵活的脑袋，极细的脖子，突出的胸部，大大的肚子，都和黄蜂非常相似，这就有力地证明了，蚂蚁确实是由黄蜂进化而来的。早在一亿多年以前，由某种原始的黄蜂，进化出了两个非常重要的昆虫分支：一个是蜜蜂，在天上飞；一个是蚂蚁，在地上爬。

那么，蚂蚁为什么要从空中来到地上，从"航空兵"变成"陆战队"呢？这是由于生存竞争的结果。大自然的法则就像是一张无形的网，当地上的昆虫演化的种类愈来愈多，数量愈来愈大，有点失去控制的时候，大自然便派出了蚂蚁军团，以控制昆虫的数量，保持地球上的生态平衡。于是，蚂蚁便担当起了清道夫和执法者的双重角色。一直在地球上生存下来。

（选自《从自然到人文》，位梦华 著）